Bonheur, es-tu là ?

De la même auteure

ROMANS

Cœur trouvé aux objets perdus, Libre Expression, 2009.
Maudit que le bonheur coûte cher !, Libre Expression, 2007.
Et si c'était ça, le bonheur ?, Libre Expression, 2005.

RECUEILS DE CHRONIQUES

D'autres plaisirs partagés, Libre Expression, 2003.
Plaisirs partagés, Libre Expression, 2002.

JEUNESSE

Marion et le bout du bout du monde, illustré de 21 œuvres de Marc-Aurèle de Foy Suzor-Coté, Publications du Québec, 2008.
L'Enfant dans les arbres, d'après l'œuvre de Marc-Aurèle Fortin, Éditeur officiel du Québec, 2002.
Mon père et moi, Éditions de la courte échelle, 1992.
Des graffiti à suivre, Éditions de la courte échelle, 1991.

THÉÂTRE

Dernier quatuor d'un homme sourd, en collaboration avec François Cervantes, Éditions Leméac, 1989.
Les Trois Grâces, Éditions Leméac, 1982.

FRANCINE RUEL

Bonheur, es-tu là ?

roman

Libre Expression

Catalogage avant publication de Bibliothèque et Archives nationales du Québec et Bibliothèque et Archives Canada

Ruel, Francine, 1948-

Bonheur, es-tu là?
ISBN 978-2-7648-0501-5
I. Titre.

PS8585.U49B66 2011 C843'.54 C2011-941874-6
PS9585.U49B66 2011

Édition : André Bastien
Révision linguistique : Marie Pigeon Labrecque
Correction d'épreuves : Annie Goulet
Couverture : Chantal Boyer
Illustration de la couverture : Élisabeth Eudes-Pascal
Mise en pages : Clémence Beaudoin
Photo de l'auteure : Jacques Migneault

Remerciements
Nous reconnaissons l'aide financière du gouvernement du Canada par l'entremise du Fonds du livre du Canada pour nos activités d'édition.
Nous remercions le Conseil des Arts du Canada et la Société de développement des entreprises culturelles du Québec (SODEC) du soutien accordé à notre programme de publication.
Gouvernement du Québec – Programme de crédit d'impôt pour l'édition de livres – gestion SODEC.

Les Éditions Libre Expression
Groupe Librex inc.
Une compagnie de Quebecor Media
La Tourelle
1055, boul. René-Lévesque Est
Bureau 800
Montréal (Québec) H2L 4S5
Tél. : 514 849-5259
Téléc. : 514 849-1388
www.edlibreexpression.com

Dépôt légal – Bibliothèque et Archives nationales du Québec et Bibliothèque et Archives Canada, 2011

ISBN : 978-2-7648-0501-5

Distribution au Canada
Messageries ADP
2315, rue de la Province
Longueuil (Québec) J4G 1G4
Tél. : 450 640-1234
Sans frais : 1 800 771-3022
www.messageries-adp.com

Diffusion hors Canada
Interforum
Immeuble Paryseine
3, allée de la Seine
F-94854 Ivry-sur-Seine Cedex
Tél. : 33 (0)1 49 59 10 10
www.interforum.fr

Pour André G.,
l'inspirant créateur.
Pour André B.,
l'extraordinaire éditeur.
Merveilleux amis, humains magnifiques,
qu'on a failli perdre trop tôt
et sans qui je ne saurais vivre.

« Que pouvez-vous bien trouver
à faire à la campagne ?
— Tout, excepté le temps de le faire. »

RUDYARD KIPLING

« À la maison, le plus dur, c'était la fin du mois.
Surtout les trente derniers jours. »

COLUCHE

« Un jardinier qui sabote une pelouse
est un assassin en herbe. »

RAYMOND DEVOS

« Avec les maisons en préfabriqué,
pendant le crédit tu répares ce qui s'écroule,
et au bout de quinze ans les ruines sont à toi. »

COLUCHE

« Dans notre ménage, il n'y a pas
de travaux réservés aux hommes
et de travaux réservés aux femmes.
Nous nous sommes partagé
exactement les tâches de la maison.
Ma femme fait tout ce qui est emmerdant,
et moi je fais le reste. »

GEORGES WOLINSKI

Prologue

— *Pronto ?*

— Je... je... ne... pas partir, ai-je balbutié à travers mes larmes.

— Olivia ? C'est toi ?

— ...

— Comment ça, tu ne peux pas partir ?

— Massimo... je ne veux pas...

Et mes sanglots redoublèrent.

— Olivia ? Arrête de pleurer, je ne comprends rien.

— ...

Tandis que je refoulais mes larmes du mieux que je le pouvais, les mots, eux, n'arrivaient pas à se frayer un chemin jusqu'à ma bouche. Au bout du fil, j'entendis un long soupir de découragement. Puis l'instant d'après le ton changea.

— Idiote ! hurla mon ami Massimo. Tu as oublié ton passeport ? Non ! Tu as raté l'avion ?

J'attrapai un mouchoir dans ma poche et me mouchai bruyamment dans le combiné.

— Tu es où, là ?

Je tentai d'être un peu plus cohérente ; je lui devais bien ça. Je venais de passer quelques semaines avec mon grand ami de toujours, mon presque frère. Il venait d'hériter d'une petite maison à Pitigliano, dans le sud de la Toscane, et je l'avais accompagné durant son installation. Et là, j'étais sur mon départ, même si je n'en avais aucune envie.

— Ma valise est enregistrée et l'avion ne part que dans une demi-heure. Ne t'inquiète pas.

— T'es drôle, toi ! T'arrêtes pas d'inonder mon téléphone et il faudrait que je trouve ça normal.

— Massimo, je m'excuse, mais je ne comprends pas ce qui m'arrive.

Et je me remis à jouer les Madeleine éplorées.

— Je suis en peine d'amour…

— Je t'avais prévenue que si tu tombais amoureuse de Bernardo…

— Non. Ce n'est pas ça. C'est que…

Il me coupa aussitôt la parole, inquiet.

— Bernardo t'a bien amenée à l'aéroport ? Il ne t'a pas donné ton quatre pour cent en même temps que ton bagage ?

Je tentai de faire une blague, qui tomba aussitôt à plat.

— En fait non, il a juste ralenti pour me permettre de sauter de la voiture sur le trottoir avec ma grosse valise, qui m'est retombée sur la tête. Ben non… Tout s'est bien passé. Il n'est pas resté longtemps, il avait un rendez-vous.

Mes sanglots reprirent du service. J'avais beau essuyer mes larmes à mesure, elles continuaient de couler.

— Je ne sais pas comment te dire ça…

— Avec des mots ; clairs, de préférence, Olivia. Comme ça, je vais arrêter de me faire du sang d'encre et comprendre ce qui t'arrive.

— …

— Olivia ? Tu es là ?

Je sentis une légère impatience de la part de Massimo ; je me ressaisis un peu.

— Je pense que ça n'a rien à voir avec Bernardo. Je ne sais même pas si je vais poursuivre mon aventure avec ton charmant voisin une fois que je serai rentrée. C'est pas ça... C'est... Je suis en peine d'amour avec...

Et dans un sanglot étouffé, je laissai échapper que ça faisait trop mal de quitter l'Italie.

Massimo éclata d'un grand rire.

— Ah, c'est ça ! Ça n'est que ça ! *Chiaro.* Je t'avais prévenue, *bella.*

— Massimo...

— *Lo so, lo so. Italia è troppo bella per non spetta agli italiani.*

Il commença à me faire la traduction de cette maxime si souvent évoquée entre nous, selon laquelle l'Italie est trop belle pour n'appartenir qu'aux Italiens.

— Euh... Massimo... Massimo, dis-je en l'interrompant à mon tour, je te rappelle.

Je raccrochai aussitôt le combiné. Ce qui surgit devant moi me scia sur place. Un jeune homme, assez grand et corpulent, au visage rond comme une pleine lune, ayant conservé les traits d'un petit garçon, s'avançait très, très près de moi. Il me souriait de ses petits yeux en amande. Je ne comprenais pas ce qu'il me voulait. Puis il se jeta sur moi avec fougue, me prit dans ses bras sans attendre mon accord et se mit à m'embrasser les joues de ses lèvres charnues, la langue sortie de la bouche.

— *Non piangi, non piangi, signora.*

Et tout en me disant de ne pas pleurer, il entreprit de me bercer, la tête couchée sur ma poitrine. Il murmurait des petits « ah, ah » tout doux et chantants, comme pour calmer un bébé en pleurs, sans cesser de me donner des becs mouillés. Je ne savais pas quoi faire ni quoi dire. Je restai sur place, enserrée par les bras puissants du garçon, et me laissai consoler. J'avais droit à une rencontre du troisième type. Jusqu'à ce qu'un homme vienne chercher le garçon par le bras et me dégage de son emprise en s'excusant.

— *Scusi, signora. Scusi. Vieni Teo, vieni ! Teo !*

Il ajouta que le garçon n'avait pas agi ainsi pour mal faire. Enfin, c'est ce que je compris. Mon italien était encore rudimentaire. Je le rassurai en lui faisant signe qu'il n'y avait pas de problème. L'homme ramena mon consolateur vers des garçons et des filles qui formaient un groupe compact et qui me souriaient de leurs yeux bridés. Ils m'envoyèrent tous la main, ravis de ce que leur copain venait de faire pour moi. Ils s'éloignèrent et j'entendis encore le petit Teo: «*Non piangi, non piangi, signora.*»

Je me tournai à nouveau vers le téléphone. Heureusement, il me restait encore quelques minutes sur ma carte d'appel et je composai rapidement le numéro de Massimo à Pitigliano, car on venait de signaler l'embarquement de mon vol.

— *Pronto?*

— Massimo?

— …

— Je sais, je ne suis pas reposante…

— Non! Ça, on ne peut pas dire que c'est ta qualité principale!

— Massimo, tu ne croiras jamais ce qui vient de m'arriver…

— Quoi encore? me demanda-t-il avec une voix pleine de sous-entendus.

Avant même que je puisse lui raconter quoi que ce soit, il déclara que j'étais la seule fille au monde à qui il arrivait toujours quelque chose d'invraisemblable.

— *Principessa!* C'est quoi, cette fois-ci, le nouvel épisode dans la vie tumultueuse d'Olivia Lamoureux? lança-t-il en rigolant.

— Il s'appelle Teo.

— C'est qui, celui-là?

1

Des collines ondoyantes dessinent une mosaïque d'ocre, de lavande et de vert aux différentes nuances. Une impeccable allée longée de cyprès invite mes pieds à l'emprunter, et tout au bout de cette route sinueuse se trouve une villa magnifique grignotée par les intempéries et les années. Des bruits de pas sur un tapis de cailloux, une main qui prend la mienne et…

— Madame… madame, votre plateau.

— Hein ?

— On sert le repas maintenant.

Je soulevai mon masque bleu sur mon front, ouvris à peine un œil, reconnus l'agente de bord et lui fis signe en hochant la tête que je ne prendrais rien. Je m'enroulai dans ma couverture, secouai mon petit oreiller et me recroquevillai aussitôt sur mon siège étroit, la tête sur le coussin en appui contre le hublot, le masque bien ajusté sur les yeux, à nouveau bercée par le ronronnement de l'avion.

Je retournai rapidement là où j'étais. Là où se trouvait le bonheur. Je ne voulais perdre ni le fil de cette histoire ni les images.

Je serre la main qui vient de saisir la mienne et commence à avancer d'un pas allègre vers le majestueux portail de fer forgé joliment ouvragé qui mène au jardin.

La fête bat son plein. Des gens joyeux, en majorité des Italiens, se tiennent par la main et exécutent une espèce de farandole autour d'un mât fleuri.

— *La* tarantella, *me murmure à l'oreille Bernardo. Tu veux essayer ?*

— *Es-tu fou ? Je ne connais pas les pas.*

— *Justement ! Y en a pas, de pas. Viens !*

Il me tire alors par la main et je me retrouve à danser en cercle avec les gens de la noce en essayant de ne marcher sur les pieds de personne.

*

Il fait nuit maintenant. La longue table est encore pleine de frutta e dolci. *Des plats débordants de fruits de toutes sortes et des gâteaux, des* panna cotta, *des tartes et autres gâteries qui causent un coma diabétique juste à les regarder. Je m'empiffre. Et je bois. Bernardo n'arrête pas de remplir mon verre, qui déborde d'un liquide doré brillant dans les coupes de cristal.*

Les gens ont l'air si heureux en participant à ce mariage que je le suis aussi. L'homme qui m'accompagne me sourit constamment et me chuchote à l'oreille que je suis belle.

*

Le décor change à nouveau ; un peu comme si la main de Morphée venait de tirer un grand rideau de scène pour me permettre de continuer mon rêve, mais dans un tout autre cadre, et cette fois-ci, je me retrouve dans la grange adjacente à la maison de Bernardo. J'ai l'impression qu'on se cache de quelque chose. On s'efforce de ne pas faire trop de bruit tout en enlevant nos vêtements. Mais on rigole comme des adolescents qui ont peur de se faire prendre les culottes baissées. Scène de courte durée aussitôt rempla-

cée par une autre. Je tente de retenir la précédente pour poursuivre ce rêve follement érotique. Peine perdue. Un autre paysage m'appelle.

*

Le ballon rouge poursuit sa dégringolade et fond à vue d'œil. Son périple va s'achever dans l'instant. Il est sur le point de sombrer derrière la colline. La boule continue de répandre sa lave écarlate sur les ballots de foin récemment coupé dans les champs. Et pour l'accompagner dans cette magnifique agonie, j'assiste la défunte jusqu'à son dernier souffle, même si cette mort lente revient chaque soir. Je ne me lasse pas de cette prestation, et j'ai la chance de me trouver aux premières loges sur la terrasse de la petite maison que vient d'acquérir, non sans peine, mon ami Massimo. De grands frissons parcourent mes bras et je n'ai pas froid.

— Profite, bella, *parce que ça ne durera pas toujours.*

Je me concentre sur le spectacle qui lui aussi tire à sa fin.

Il ne reste que quelques minutes. Je retiens mon souffle.

La présence de Massimo devant moi me cache les dernières gouttes du coucher de soleil. Je proteste.

— Ah, Massimo ! Tu me caches la vue !

— Heille ! Je le sais que j'ai pus de tâââille ! Mais ce n'est pas une raison pour m'insulter.

Massimo fait ici référence à son tour de taille, qui a légèrement épaissi, ce qui le déprime au plus haut point. Mais comment faire autrement en Italie *? Puis il enchaîne en me signifiant que, de la vue, il y en a tout autour.*

— Madame s'octroie des pans de paysages maintenant. Envoye ! Finis ton verre, ivrognesse. Il faut y aller.

— Faudrait que j'aille me chan…

D'un ton péremptoire, Massimo s'objecte.

— Non ! Tu n'as pas besoin d'aller te retoucher. Même si tu remets un peu de poudre, en voyant Bernardo, tu vas

rougir comme un coquelicot. S'il te regarde intensément comme il a coutume de le faire, tu vas avoir une petite chaleur et te mettre à friser instantanément, et s'il t'effleure l'épaule, dans le temps de le dire, ta robe va ressembler à un lit défait. Alors, oublie le coup de peigne et le coup de fer. Cul sec, on s'en va.

J'éclate de rire. Des éclats de rire m'accompagnent et me font sursauter.

J'enlevai d'un coup le loup qui protégeait mes yeux de la lumière puis réalisai que j'étais dans l'avion qui me ramenait chez moi, à mon corps défendant, et que les voyageurs qui m'entouraient visionnaient un film qui les amusait beaucoup. Je fermai les yeux et replongeai illico dans un sommeil profond.

Je marche avec Massimo entre les oliviers, bras dessus, bras dessous, tout en admirant le ciel bouleversé par les couleurs changeantes. L'odeur de la terre réchauffée par une autre journée ensoleillée nous chatouille les narines de parfums délectables. Bernardo, son frère Ernesto et sa femme Nicoletta ainsi que le papi nous attendent sous la tonnelle pour le repas du soir.

Lorsqu'on pénètre dans la cour au sol recouvert de petits cailloux rosés, on découvre la table déjà mise sous la vigne grimpante. Un autre saut dans le temps et je me retrouve assise à table en face de Nicoletta, la belle-sœur. Elle me regarde si méchamment que je sais qu'elle ne m'apprécie pas beaucoup. C'est qu'elle a le regard perçant, l'Italienne, et la dent féroce ; l'œil assassin et la langue impitoyable quand quelque chose ne fait pas son affaire. Elle fait exprès de s'adresser à moi dans son patois, un mélange d'italien et d'argot napolitain, pour être bien certaine que je ne comprenne rien. Et la drôlesse ne cache même pas la joie que ça lui procure de me voir plisser les yeux et tendre l'oreille afin de saisir ses propos. Le papi non plus, je ne le comprends pas. Lui, c'est parce que, en plus de son dialecte qu'il débite du bout des lèvres, il n'a plus de dents. Je me penche vers Bernardo et pose des questions au sujet de l'attitude de Nicoletta et surtout sur ses allégations à mon égard, qui ne semblent pas enrobées de miel. Bernardo, avec ses manières élégantes, me chuchote de ne pas en tenir compte, que Nicoletta dit souvent n'importe quoi, mais Massimo, fidèle à son habitude, ne fait pas dans la dentelle :

— Regarde, Olivia, tu-ne-veux-pas-le-savoir ! Elle t'haït, c'est toutte !

*

Et, pour je ne sais quelle raison, je me retrouve allongée sur le divan du salon chez Massimo. Autre lieu, autre rêve. La mezzanine qu'il veut aménager comme chambre d'amis n'est pas encore prête.

Massimo me tend une enveloppe.

— Tiens ! C'est Bernardo qui est venu apporter ça.

— Pourquoi tu ne m'as pas réveillée ?

— Impossible. Tu ronflais comme un moteur d'avion.

— Quoi ? Il m'a entendue ronfler ?

Massimo se contente de secouer la tête vers l'avant, à plusieurs reprises, sérieux comme un pape italien, pour me signifier que l'irréparable vient de se produire.

Puis il sourit.

— Ben non, niaiseuse ! Tu dormais comme un ange, les petits poings réunis sous le menton, la jaquette retroussée sur les cuisses, les cheveux de travers et l'écume sur le bord de la bouche.

— Niaiseux, toi-même, lui dis-je en riant à mon tour.

Le contenu de l'enveloppe a de quoi me réjouir. Bernardo avait promis d'essayer de retarder, au moins de quelques jours, mon retour. Et il semblerait qu'il a réussi. L'Italie et Bernardo me tendent les bras pour une courte prolongation.

Des ébauches de villages anciens et lumineux, de jardins à l'odeur persistante de glycine, des clichés de rues étroites aux allures moyenâgeuses, de deux corps qui roulent dans un lit de foin et de bouteilles remplies d'un liquide doré et odorant, succulente huile d'olive traversée par des rayons de soleil aveuglants qui se déversent sans s'arrêter.

Toutes ces images se succèdent à grande vitesse. Je n'arrive à en retenir aucune.

2

Un rayon de soleil, pareil à une aiguille brûlante, pénétra ma paupière d'un coup sec et me força à émerger du sommeil dans lequel je venais à peine de sombrer, me semblait-il. Une sarbacane malicieuse visant mon œil avait réussi à atteindre sa cible de son projectile empoisonné et me fit sortir de l'inertie dans laquelle je baignais. Je résistai et replongeai aussitôt là où je me trouvais quelques instants plus tôt. Le bruit qui suivit me réveilla tout à fait. Une main pressée venait d'ouvrir le store plastifié du hublot près de mon siège. Je cherchai aussitôt à remettre le masque protecteur sur mes yeux, mais ma main ne le rencontra pas, pas plus que sur mon front. Refusant obstinément de revenir à la réalité, je tâtai autour de moi à la recherche du loup perdu. J'avais dû le laisser tomber et ça me demandait un trop grand effort de tenter de le récupérer. J'enlevai plutôt d'un geste paresseux les bouchons de cire dans le conduit de mes oreilles. Un ronron rassurant m'enveloppait. On volait toujours. J'émergeai difficilement. Fripée, en manque de sommeil, encore hantée par l'envie de retourner illico d'où je venais. Ma raison m'empêcha de me rendormir. Une idée fixe venait de surgir dans mon cerveau.

Les avions font rarement des retours instantanés. Ils font l'aller jusqu'au bout de leur trajectoire avant de pouvoir faire le retour. Ou vice versa, selon d'où l'on vient et où l'on vit. Et je me trouvais dans cette situation. Il fallait que j'atterrisse avant de songer à repartir. Je m'étirai comme je pus et tentai de ramasser mes morceaux. J'avais une douleur stridente dans le cou, et la couverture qui m'enserrait comme une momie m'empêchait de bouger. Je dus ondoyer comme un ver de terre dans l'espace restreint qui m'était alloué pour réussir à sortir de ma prison de laine et parvenir à mettre un peu d'ordre dans mes vêtements, qui semblaient enfilés sens devant derrière tellement j'avais dû bouger dans mon sommeil. Ce geste me permit de remettre également mes idées en place. Flûte ! On allait bientôt atterrir.

J'étais à quelques heures seulement du lieu de mon départ et l'Italie me manquait déjà atrocement. Et le débarquement commençait à m'angoisser. Lorsque je voyage, j'ai l'impression de n'avoir ni père ni mère. J'oublie d'où je viens, quelle était ma vie d'avant, qui étaient mes proches. Et à quelques minutes de l'atterrissage, tout à coup, la mémoire me revient. Je n'ai toujours plus ni père ni mère, ils sont malheureusement morts tous les deux, mais j'ai un fils qui se prénomme Vincent. Lui, son amoureuse, Marie, et la petite merveille qui vient de naître au printemps font réellement partie de ma vie. Tout comme de nombreux amis : Albert et François, qui vivent dans le même village que moi, qui forment un couple et qui s'apprêtent à adopter un enfant de Chine. Il y a également Henri, mon grand ami, décorateur au cinéma, et son chum, le beau Thomas, jardinier fort talentueux. Sans oublier Massimo, qui rentrera au pays dans quelques semaines. Eh oui, j'ai plusieurs amis gais. Comme m'a déjà dit un jour une dame qui avait rencontré mes compagnons lors du mariage d'Allison : « Ils sont drôles, ça me prendrait ça pour épicer ma vie ! Ça doit être le fun d'avoir "ça" comme amis ! » « Ça », avait-elle dit ! Incapable, semblait-il, de prononcer le mot « gai » ou « homosexuel » pour désigner mes amis. Bien entendu, je n'ai jamais parlé de « ça » à mes copains. J'avais trop honte d'avouer qu'il y avait encore des gens pour les qualifier de la sorte.

J'ai également deux grandes amies : Lulu, qui vit avec Armand et qui travaille comme agente de voyage, et Allison, qui vient de convoler en justes noces avec son Jules ; ils vivent également non loin de chez moi et gardaient ma maison pendant les réfections de la leur. Car, oui, j'ai une fabuleuse maison jaune. Avec des problèmes d'égout. J'ai deux chats adorables, Maxou et Rosie. Et un travail aussi. J'avais vraiment mis tout ça de côté. Et, en y pensant bien, je réalisai que j'avais également des comptes à percevoir qui m'attendaient et une hypothèque et des taxes et des impôts à payer. Le bonheur, quoi !

Lorsqu'on voyage, notre vie d'avant le départ est pleine de gens, de possessions, de soucis, d'obligations qu'on laisse volontiers derrière soi, du moins temporairement, pour vivre autre chose, rencontrer d'autres personnes, connaître d'autres passions, vivre sans trop de soucis, et surtout, rêver autrement. Mais voilà, ça ne peut pas durer toujours. Ces presque trois semaines de vacances m'avaient soumise à des plaisirs quotidiennement renouvelés. Et à de grands frissons aussi.

Chaque jour, en compagnie de mon ami Massimo, et souvent de son voisin italien Bernardo, on débouchait — en plus de très bonnes bouteilles de vin de Toscane — des pétillants délicieux. *Frizzanti*, comme disent les Italiens en parlant de certaines eaux gazeuses et de vins mousseux. Mes vacances en Italie avaient ce goût pétillant des meilleurs champagnes.

Et le déjeuner qu'on s'apprêtait à me servir à bord de l'avion, dans de la vaisselle en plastique, avait plutôt des allures d'un autre type ; du genre pain sec et eau plate. Envolées, les bulles, adieu, les frissons. Adieu, la *dolce vita* !

Et puis je repensai à ce qui avait précipité le retour vers mon chez-moi, vers ma vie d'avant l'Italie, alors que je faisais tout pour prolonger mon séjour. Une série de coups de téléphone alarmants de la part d'Allison, qui était la gardienne de ma maison et qui veillait amoureusement sur mes chats durant mon voyage.

Le tout premier appel m'avait arrachée d'un sommeil de plomb. Il faut dire que le souper de la veille avait été passablement arrosé. Massimo m'avait secouée trop brusquement à mon goût. Je m'étais levée et j'avais dû composer avec la voix lointaine et criarde d'Allison tandis que je me débattais avec un mal de crâne lancinant et pénible.

— Allo, Olivia ! Comment ça va ? Et l'Italie ? Et les Italiens ?

— *Non troppo male.*

— *Non troppo* quoi ? hurla-t-elle.

— Ça veut dire « pas trop mal ». Mais parle moins fort, j'ai mal à la tête.

— Je vais faire ça vite. Il y a un problème avec…

— Il est arrivé quelque chose de grave à mon fils ?

— Non, non. Tout le monde va bien de ce côté.

— C'est Maxou ou Rosie ?

— Non, non. Tes chats vont bien. C'est la maison.

— Quoi, la maison ?

— Ben… euh… il y a eu un refoulement d'égout dans la cave. Ça t'est déjà arrivé ?

— Non… Écoute, je ne sais pas quoi te dire… Appelle un plombier.

— C'est ça que j'ai fait, m'avait rétorqué Allison sur un ton un peu sec, comme si je pouvais douter de sa compétence à tenir une maison, la mienne en l'occurrence.

Je retombai vite sur terre et rapidement sur mes patins. J'évoquai une explication qui ne mettait aucunement en cause ses capacités de gardienne de maison.

— .... Mais personne n'est disponible, c'est ça?

— C'est ça, tu as tout compris. Écoute, c'est la même situation chez nous. Ma maison a beau être neuve...

— Quoi? Toi aussi, tu as des problèmes d'égout?

— Non... non, avait répliqué Allison. Plus ça change, plus c'est pareil. Les professionnels ne sont jamais disponibles. Surtout quand on en a besoin.

Elle avait conclu cet appel en disant qu'elle ferait pour le mieux. Et que, de toute façon, comme je rentrais dans quelque temps, les choses s'arrangeraient d'elles-mêmes. Puis, elle avait raccroché.

— Des complications? m'avait demandé Massimo.

— Euh... non. Juste un problème d'égout. Il paraît que ça a refoulé dans la cave.

Massimo s'était pincé le nez en guise de réponse.

Le deuxième appel d'Allison avait été à peine plus rassurant. Le plombier avait suggéré de couper un grand sapin dont les racines obstruaient les conduits et qui étaient sûrement la cause du reflux d'égout dans la cave.

Mais le troisième appel au secours m'avait obligée à rentrer rapidement. Allison ne savait plus quoi faire pour enrayer le problème, qui semblait insoluble. Je ne pouvais pas la laisser toute seule avec mes ennuis domestiques. Elle n'avait pas que mes problèmes à régler, elle avait également des dossiers de construction à gérer pour sa propre maison. Alors, j'avais dû renoncer à l'offre de prolongation de mon voyage que m'avait si gentiment faite Bernardo, et j'avais décidé de rentrer à la date prévue. Allison m'avait laissée avec cette phrase qui résonnait encore dans mes tympans, à travers ses rires :

— Ma vieille, je crois que tu es dans la merde !

3

Je profitai des derniers moments du vol pour revivre ce que je venais de connaître, en repoussant le plus possible les images de la maison jaune et des problèmes, qui viendraient bien assez vite.

Je me revis assise sur la terrasse, à la table savamment patinée que Massimo et moi avions dénichée chez le forgeron du coin quelques jours auparavant. Je dégustais à petites gorgées un pinot grigio frais et délicieux. Je réalisais que, depuis le début de ce périple pour accompagner mon ami dans ses démarches au sud de la Toscane, les frissons avaient été nombreux et constants. Et l'alcool et les vins que je savourais quotidiennement ne faisaient qu'ajouter à l'euphorie générale. Tout me ravissait. Au fil des jours, je répétais à qui voulait l'entendre à quel point l'Italie était fantastique et, surtout, faite sur mesure pour moi. Je trouvais vraiment que ce pays m'allait bien.

Chaque matin et chaque soir, je remerciais le ciel de m'allouer autant de béatitude. Toutes ces joies en même temps, ça faisait beaucoup, me disais-je. Et puis, je m'affolais à l'idée que quelqu'un au paradis des délices m'entende et décide de m'en enlever. Alors je précisais aussitôt dans ma prière que, ces largesses, c'était beaucoup à la fois, mais pas trop. Non ! Tous les bonheurs en même temps, ça n'est jamais trop.

C'est étrange comme l'humain est ridicule. Il pense qu'il n'a droit qu'à quelques grains de cette manne fabuleuse. Né pour un petit pain ! Depuis mon arrivée dans cette région de la Toscane, j'avais tout en même temps. *Pane, vino e amore.* Je manquais de souffle devant tant de faste. Alors j'écoutais Massimo, qui m'encourageait à m'abandonner complètement.

— Empiffre-toi, *bella*, dévore, et lèche l'assiette si tu peux. On ne sait jamais quand ça va revenir au menu du jour. Aussi bien en profiter.

Et c'est ce que je faisais. Je me goinfrais de tout ce que ce voyage m'offrait.

À travers cette allégresse, j'essayais de seconder mon ami. La petite maison que lui avait léguée sa maman récemment décédée faisait à elle seule un mets invitant. Mais Massimo trouvait que le service était lent, que le plat était drôlement épicé et que l'addition serait salée. Il constatait également dans l'assiette qu'on lui présentait qu'il y avait quelques bouchées difficiles à avaler.

Toute à ma joie de vivre cette aventure, je ne comprenais pas trop son impatience. La maison était vieille, certes, mais tellement jolie. La structure tenait bon, il y avait bien quelques pierres à remplacer, le bois des fenêtres et des portes gonflait sous l'effet de l'humidité, il fallait rafraîchir la peinture des murs et changer quelques tuiles de la toiture. Le mobilier vétuste laissait à désirer et n'était pas du tout au goût de Massimo, mais quel bonheur d'avoir à tout changer !

J'aimais toujours autant les maisons, et l'exercice me semblait bien excitant. Il faut dire que, lorsque l'argent ne sort pas de notre porte-monnaie, il est plus facile d'avoir des idées coûteuses. Et malgré le fait que je savais d'expérience par quoi Massimo passait pour avoir failli moi-même y laisser ma santé physique et mentale, et surtout ma chemise, j'arrivais à considérer la situation comme beaucoup moins dramatique, et même amusante dans son cas.

— Tu peux bien rire, malheureuse ! Tu as vite oublié dans quoi tu as nagé ces dernières années, au risque de t'y noyer.

Il soupirait devant la lenteur et la montagne de complications bureaucratiques. Je balayais ses jérémiades du revers de la main ; il revenait à la charge avec ses lamentations. J'y opposais aussitôt mon enthousiasme sans faille.

— Ça n'en finit plus de traîner, se plaignait-il. Je n'ai pas que ça à faire, moi. J'ai un métier. Je dois retourner auprès des Gina Lollobrigida et des Sophia Loren de ce monde ! Foutu pays qui n'est même pas capable d'être informatisé.

Puisqu'il m'ouvrait la porte toute grande pour que je le taquine un peu, j'en avais profité.

— Si j'étais toi, Massimo, je parlerais surtout des dernières têtes d'actrices dans lesquelles tu as plongé tes fabuleuses mains créatrices. Avec ces deux monuments de l'autre siècle comme exemples, tu trahis ton âge !

— Ah ! *Basta !* C'était une façon de parler. Tu es bien *pointulleuse*.

Depuis qu'il était revenu en Italie, Massimo semblait avoir oublié la prononciation de certains mots français.

— Pointilleuse. C'est « pointilleuse » qu'on dit.

Pour toute réponse, ce jour-là, j'avais reçu un torchon à vaisselle en plein visage. Mais comme rien ne pouvait ternir ma bonne humeur, je continuais de trouver la situation plaisante.

— Massimo, si l'Italie écrit encore au crayon à mine et avec mille copies carbone, c'est pittoresque, non ? C'est différent, c'est tout. C'est plus coloré. Et tu as la plus jolie petite maison qui soit. Et elle est en Toscane ! Tu te rends compte, maudit chanceux ?

Massimo me laissait dire pour ne pas briser mon enthousiasme, mais n'en levait pas moins les yeux au ciel. Il finissait immanquablement par répliquer que, si je me montrais si optimiste, c'est parce que j'étais amoureuse.

— Ma pauvre Olivia, tu as perdu tout sens des réalités. Je laisse aller parce que tu n'es plus toi-même depuis que tu es en Italie. Tu as également perdu tout sens des mesures.

— Ah bon ! Et d'après toi, qu'est-ce que je suis devenue ?

— Une fille *pardue* ! Une pauvre fille qui va se transformer en veuve éplorée quand tout sera fini. Et dans les bras de qui tu vas t'épancher ce jour-là ? Hein ? C'est sur l'épaule de ce brave Massimo que tu vas répandre toutes les larmes de ton corps. J'ai-tu envie d'être trempé de la tête aux pieds pour la perte de ton Italien ? Non ! Ça me tente pas. J'ai déjà donné lors du départ de Harris. *Basta ragazza ! Basta !*

Et il avait conclu en me menaçant de jouer les filles de l'air. J'avais ri de plus belle. Je savais pertinemment que la fameuse date qui marquerait la fin du voyage allait venir à un moment donné, mais je m'empêchais de compter le temps qui restait avant le retour. J'avais la sensation que ce séjour était éternel, un peu comme lorsqu'on a quinze ans et que l'avenir, c'est quelque chose de vague et surtout de très élastique sur lequel on peut tirer jusqu'à l'infini sans que rien d'inéluctable ne survienne.

4

J'étais devant le douanier, qui tenait mon passeport dans une main et me demandait quel type de voyage j'avais fait.

— Extraordinaire, répondis-je.

Il leva les yeux au ciel et soupira d'impatience.

— Non, ma petite dame. Ça, je veux pas le savoir. Pis je veux pas voir vos photos.

Je me fis la réflexion qu'effectivement ces préposés aux douanes ne veulent rien connaître de nos états d'âme de voyageurs. Pendant que nous volons vers un ailleurs et des possibles, eux restent cloués au sol, confinés dans un petit aquarium à répéter aux voyageurs les mêmes questions.

— Votre voyage en Italie, c'en était-tu un d'affaires ou d'agrément ? maugréa-t-il entre ses dents.

Je sus alors que j'avais vraiment atterri au Québec. Il tenait dans son autre main le tampon qui allait régler mon cas : directement vers la sortie ou dans la file des individus louches à fouiller.

Je lui fis mon plus beau sourire et répondis correctement à sa question. Je devais attendre d'avoir récupéré ma valise pour connaître mon sort.

Le tapis du carrousel venait de commencer son trajet en serpentant à mes pieds. Je fixai, tout comme les autres passagers, le trou noir qui accoucherait de nos valises. À cause du décalage horaire et du manque de sommeil, j'avais l'impression d'avoir hérité de plusieurs rides et de quelques années de fatigue supplémentaires. Je ne rapportais pas que des cadeaux dans mes bagages.

Dire que la veille seulement je me sentais revivre, je me sentais rajeunir. L'Italie m'avait donné des ailes et de grands frissons. Je ne touchais plus terre. Il avait fallu que je prenne un avion, que j'atterrisse en terre natale pour que toute cette fraîcheur et cette vigueur disparaissent d'un coup. J'avais froid dans mes vêtements. Je passai en revue les passagers de mon vol en attente de leurs valises pour m'apercevoir qu'ils étaient vêtus plus chaudement et plus sobrement que moi. Je n'avais qu'une robe légère et des sandales. En Italie, j'avais redécouvert le plaisir que procure la petite robe qui flotte autour des genoux et la sandale qui fait le pied féminin au possible. Ça me changeait des jeans et des longues chemises d'homme, des bottes de caoutchouc ou des souliers tout-terrain que j'avais l'habitude de porter dans ma campagne. Les travaux de réparation, d'installation et de jardinage requièrent souvent ce type d'habillement. Mais j'avais constaté, comme je l'avais maintes fois réalisé en Italie, l'effet que la jambe nue juchée sur des escarpins et le décolleté plongeant peuvent provoquer dans l'œil masculin. Je ne m'étais jamais autant fait siffler qu'en Italie. Il faut dire qu'au Québec ce compliment sonore n'a plus cours. Ni aucun regard admirateur, sourire invitant, déclaration flatteuse ou appréciation de notre féminité. Je venais de vivre trois semaines où je m'étais sentie *femme-femme* du matin au soir. Cette sensation est tellement bonne et vivifiante ! Lorsque les têtes ne se retournent plus sur notre passage, c'est qu'on n'est plus digne d'être désirée ou que l'on prend sérieusement de l'âge. J'avais bien vu l'effet qu'un sifflement ou un compliment joliment tourné pouvait avoir sur mon humeur.

Il faudrait que toutes les femmes et toutes les filles de la Terre aillent faire un tour en Italie pour goûter les joies de l'emballement masculin. Les yeux qui brillent sur le passage des filles, c'est un poème en soi.

C'était la fin des vacances, mais j'essayais par tous les moyens imaginables de prolonger mon séjour, alors que j'avais bel et bien atterri. Je venais de connaître une petite parcelle à peine de la Toscane et j'en redemandais. Quel pays extraordinaire, à nul autre pareil. Il faut dire que j'avais eu bien de la chance au cours de ce voyage. D'un côté, Massimo qui m'ouvrait sa maison et me donnait accès à sa connaissance du pays et de la langue, et de l'autre, son voisin, Bernardo, qui me faisait du charme, me trouvait *deliziosa*, me trimballait partout, m'apprenait la *dolce vita* et *a fare l'amore* quand l'occasion se présentait. Que demander de plus à l'univers ?

J'aperçus enfin ma valise qui jouait les orphelines sur le carrousel. Où est-ce que tout le monde était parti ?

J'attrapai un panier, y installai ma grosse valise et mon sac de cadeaux, qui contenait des bouteilles d'huile d'olive produite par Bernardo et sa famille ; leur nombre dépassait largement la quantité permise par les douanes. Je tendis mon carton tamponné par l'immigration à un autre préposé, qui me fit signe d'avancer vers la sortie. Fiou ! Ça passait. Je n'aurais pas à subir la fouille ni à risquer de remettre aux douaniers, bien malgré moi, quelques bouteilles de ce liquide or et délicieux. Comme il s'agissait ici d'huile d'olive, je n'aurais pas pu l'ingurgiter sur place, comme un de mes amis français avait déjà fait avec un camembert et un saucisson de son pays que les douaniers voulaient lui confisquer, puisque ces produits figuraient sur la liste des interdits au pays. Il s'était assis par terre, avait récupéré son opinel dans sa valise et avait entrepris de tout manger pour éviter de jeter les aliments à la poubelle ou qu'ils se retrouvent dans l'estomac des douaniers.

Lorsque je franchis la porte de sortie, je ne remarquai qu'un petit groupe de personnes venues accueillir les voyageurs. Parmi elles se tenait une grande fille radieuse que je reconnus à son enthousiasme débordant dès qu'elle m'aperçut. C'était mon amie Lulu.

— Qu'est-ce que tu fais là ? lui demandai-je, étonnée de la trouver à l'aéroport.

Pour toute réponse, elle me prit dans ses bras en me disant que, comme c'était elle qui m'avait un peu poussée à accepter l'invitation de Massimo et qui avait veillé aux détails de ce voyage, il était tout naturel qu'elle soit là à mon arrivée. Puis elle se dégagea de moi pour me détailler. Elle ouvrit de grands yeux surpris.

— Wow ! Ma pitoune ! On peut dire que tu as profité de ce voyage ! C'est la première fois que je te vois… si… épanouie.

Je souris. Mon amie Lulu semblait percevoir chez moi les traces de tout le bonheur que je venais de vivre ; même si je me sentais depuis l'atterrissage comme une vieille pizza froide oubliée sur le comptoir un lendemain de veille. Mais je déchantai aussitôt. Je n'avais pas saisi correctement le sens des propos de Lulu.

— Olivia ! Mais tu as bien engraissé !

5

Lulu s'occupa de tout. Elle m'avait presque arraché ma valise des mains et l'avait traînée derrière elle, direction le parc de stationnement sous-terrain. Elle marchait d'un pas alerte, et je n'avais qu'à la suivre en tentant d'oublier son commentaire.

— Essaies-tu de me faire maigrir en marchant aussi vite ? lui demandai-je, à bout de souffle.

— Non, non. Je veux juste qu'on ne reste pas prises dans les bouchons de fin d'après-midi.

J'avais encore le pied en vacances, la tête ailleurs et je manquais de sommeil. En sortant de l'avion, puis en enfilant dans l'aéroport Pierre-Elliott-Trudeau les interminables corridors et les escaliers qu'il faut tantôt descendre, tantôt monter, on a tout le temps de dire adieu au pays que l'on vient de quitter. Cette architecture alambiquée a sûrement été conçue dans cet unique but : faire oublier au passager tout ce qu'il a vécu à l'extérieur du pays.

Malgré ce parcours ridicule pour sortir de l'aéroport, je résistais encore. Une partie de moi restait en Toscane. Et une fois dehors, c'était aussi désastreux. Dieu que ces échangeurs routiers sont affreux !

— Contente d'être revenue ?

— Pas trop, non, répondis-je à Lulu. D'abord, il y a tout ce qui m'attend...

— Oui, je suis au courant. Allison m'a raconté. Mais comme elle a tendance à exagérer, ce n'est peut-être pas aussi dramatique qu'elle le dit.

— Puis, c'était tellement beau, la Toscane. Pas tout à fait comme ici, lui dis-je en regardant par la fenêtre de la voiture.

Le paysage qui s'offrait à mes yeux était désolant. Des routes de ciment qui s'entrecroisent, des panneaux publicitaires et des amoncellements de terre, de cailloux et de tuyaux en prévision de la réfection des routes.

— Même les autoroutes sont belles, en Italie, continuai-je. Sur le terre-plein entre les voies, on a planté des lauriers qui n'en finissent plus de fleurir. Tu baisses la glace de la voiture et cette odeur te suit tout au long du trajet.

— Ça doit quand même sentir un peu l'essence ou le diesel, non ? Si je me rappelle bien, ils conduisent drôlement vite, les Italiens.

— Ah ! Pour ça, ils conduisent comme des coureurs automobiles. Je pense qu'ils s'imaginent tous avoir la vingtaine et être au volant d'une Lamborghini. Il y a tout le temps des accidents, ajoutai-je, en spécifiant que j'avais même vu des voitures embouties, des valises répandues sur la chaussée et des gens ensanglantés qui s'engueulaient à qui mieux mieux dans l'attente de l'ambulance.

La voiture de Lulu emprunta rapidement la sortie pour le pont Champlain, toujours aussi bondé. Encore plus qu'à l'accoutumée, d'ailleurs, puisque l'été, c'est la saison des réparations.

Il faisait chaud et le soleil plombait.

— Et le travail, ça va ? lui demandai-je.

— Ça ralentit un peu. Tout le monde est parti en vacances. Petit répit en attendant les réservations d'hiver pour les séjours dans le Sud et les croisières. Mais tu sais, le monde du voyage n'est plus ce qu'il était. Les gens réservent maintenant par Internet. Bientôt, on ne servira plus à rien.

Je sentais dans sa voix une certaine amertume.

— Pour ma part, je vais encore faire appel à tes services, déclarai-je.

— Tu es à peine arrivée et tu veux déjà repartir ? lança-t-elle en riant.

— Écoute, je ne sais pas ce qui s'est passé. Ça a été le coup de foudre de ma vie.

— Hum ! dit-elle, comment il s'appelle ?

— C'est plutôt *elle*.

— Elle ? Comment ça, ELLE ?

— Attention, la voiture…

Lulu redressa sa Jetta et s'engagea dans la voie de gauche sous les coups de klaxon d'un chauffeur au bord de l'hystérie. On venait d'éviter un accrochage. Une fois qu'elle eut repris ses esprits, elle réattaqua d'une voix craintive, cette fois-ci, comme si elle appréhendait la réponse :

— Ton coup de foudre est une *fille* ?

— Non, lui répliquai-je en riant. Es-tu tombée sur la tête ? Le *elle* dont je parle est une région. La Toscane et tous les coins que je n'ai pas eu le temps de visiter. Et puis Rome, que je connais à peine, puis Florence, qui est si belle, et Venise. Je me meurs d'aller à Venise.

— Tu m'as fait peur. Déjà que je te retrouve transformée.

— J'ai pas engraissé tant que ça ?

Je regardai mon amie de profil, puisqu'elle gardait désormais les mains bien serrées sur le volant et les yeux sur la route. Je pus tout de même déceler un hochement de tête dubitatif, un pincement des lèvres ; et elle me fit cette vague réponse :

— Bien, c'est parce que je ne t'ai jamais vue aussi… comment je dirais… tant…

— Aussi...? Tant?

— Euh... ronde, disons.

Je n'étais pas dupe. Quand une amie prend de tels détours, met des gants blancs, cherche ses mots pour enrober — c'est le cas de le dire — l'aveu qu'elle s'apprête à vous faire, tel un cadeau empoisonné, en s'exprimant sur votre tour de taille, c'est qu'il y a anguille sous roche ou kilo en trop sous la peau.

6

Nous étions toujours coincées dans la circulation intense de cette fin d'après-midi, au milieu des énormes camions et des pressés-de-rentrer-chez-eux. Je ne pouvais pas laisser la discussion en plan. Je revins à la charge :

— Lulu, niaise-moi pas. Tant que ça ? demandai-je, soudain inquiète.

— Oh oui ! Il y en a qui reviennent de voyage avec des poches sous les yeux, parce qu'ils ont trop festoyé, d'autres avec quelques poignées d'amour un peu partout. Ma jolie, les souvenirs que tu rapportes ne sont pas que dans tes valises. Tu peux te compter chanceuse qu'à Fiumicino, ils ne pèsent pas les individus, mais les valises. Sinon, tu aurais eu à payer un excédent de bagages.

Elle termina sa tirade dans un grand éclat de rire.

— C'est pas grave, Olivia. C'est juste des kilos en trop. Ça disparaît avec un peu de volonté et du sport.

Je me défendis comme je pus.

— Bon, ça va. J'ai compris. J'ai peut-être pris un kilo ou deux. Pourtant, on a tellement marché.

« Et mangé », ajoutai-je pour moi-même.

Lulu me laissa à mes réflexions pondérales. J'avais été tellement heureuse en Italie que je ne m'étais rendu compte de rien. Comme j'avais acheté mes petites robes sur place, je ne m'étais pas sentie à l'étroit dans mes vêtements familiers puisque j'en avais peu apporté dans mes bagages. Bernardo devait aimer les femmes en chair parce qu'il n'avait pas trop semblé s'en plaindre. Je repensai avec délectation aux nombreux plats de pâtes *al ragù* ou *alla panna*; aux trois services à chaque repas: *antipasto, primo e secondo piatto*. Sans parler des collations sucrées ou salées qui accompagnaient *il caffè* et *l'aperitivo*.

Mes papilles se remémoraient les nombreux *limoncello, grappa* et pinot grigio que j'avais ingurgités sans remords aucun, les *dolci meravigliosi,* ces merveilleux desserts onctueux et irrésistibles qu'on m'avait forcée à goûter. Devant le silence de Lulu, j'en rajoutai, côté justifications.

— En Italie, tout le monde te force à manger tout le temps, à essayer tous les plats, à goûter à tout. C'est ce que j'ai fait. *Mangia, mangia.* On te répète ça constamment.

— Massimo ne t'en a pas empêchée?... L'image corporelle, pour lui, c'est une priorité.

— Massimo? Tu veux rire! Il est pire que moi, si ça se trouve. Il s'est plaint sans arrêt qu'il n'avait plus de tâaaaille, et il a continué à manger. Il est redevenu complètement *italiano*, faut croire.

Lulu conclut que l'Italie devait faire le même effet à tous ceux qui s'y trouvaient.

— Tu comprends pas, je pense. Sur place, on a franchement l'impression d'offenser les gens si on refuse de tout ingurgiter. Un peu comme si on refusait de goûter aux richesses de toute une région, de tout un pays. En leur disant: *No grazie!* c'est une insulte personnelle qu'on leur fait.

Lulu se contenta d'un « Hum, hum » bien appuyé.

En dépit des remarques de mon amie, j'étais malgré tout heureuse d'avoir acquis l'estime de tant de gens, et ce, nonobstant les poignées d'amour qui semblaient me coller au corps.

— C'est la vie, lui dis-je. Il faut bien que nos expériences servent à quelque chose. Et tant mieux, ou tant pis, si c'est apparent.

Lulu m'expliqua qu'elle ne voulait plus revivre cette situation.

— Tu te rappelles, pendant mes traitements, j'avais l'air d'une vraie balloune.

Je me souvins effectivement que l'année précédente, lors de ses traitements contre le cancer, Lulu avait énormément enflé. Certaines filles maigrissent beaucoup ; pour d'autres par contre, c'est le contraire qui arrive. Elle était de celles-là. Lulu se trouvait abominable. Et son chum avait beau la rassurer en lui disant que c'était passager, elle sentait bien qu'il n'appréciait pas particulièrement l'allure de sa blonde.

— Armand est déjà pas là, si en plus je me mets à engraisser, il se sauve en courant.

Au même instant, le cellulaire de Lulu se mit à bourdonner avec ardeur.

— Peux-tu répondre ? me demanda-t-elle.

Je m'étirai comme je pus pour attraper son énorme sac sur le siège arrière, en prenant bien soin de ne rien renverser puisqu'il n'était pas fermé. Le téléphone se faisait insistant. Je fouillai rapidement dans tout ce que contenait la besace et saisis l'appareil *in extremis*, comme me le souligna l'interlocuteur.

— J'allais raccrocher. T'es où ?

— Tiens ! Quand on parle du loup, marmonna Lulu.

— Euh… Armand ?

— Oui. Qui parle ?

— C'est Olivia, Lulu ne peut pas prendre…

— T'es pas en voyage, toi ?

— Je viens juste de rentrer. Lulu est venue me chercher.

— Peux-tu lui dire que je ne serai pas là ce soir ? Encore une réunion. Bon retour, ma belle.

— O.K. Mais... tu ne veux pas lui...

— Bye.

Et il raccrocha aussi sec.

— Il ne sera pas là ce soir, me dit Lulu. Je me trompe ?

— Non. Oui. Euh, non tu ne te trompes pas, et oui, c'est ça, il a une...

— ... réunion, compléta Lulu, au moment même où je prononçais le mot.

Et elle ajouta du même coup qu'il n'y avait rien de nouveau là-dedans, qu'il avait toujours des réunions. Elle pinça les lèvres tout en portant son attention sur la route, puis mordit dans chaque mot :

— Je ne sais bien pas de quoi ça discute dans ces réunions-là. Mais ça discute.

Je m'inquiétai. Ça n'allait pas entre Armand et elle ? Puis je me rappelai que, chaque été depuis que je la connaissais, son couple battait de l'aile. Elle se retrouvait souvent seule puisque Armand avait tout plein de projets qui excluaient la compagnie de sa belle.

— Qu'est-ce qui se passe ? Pourtant, durant ta convalescence, tu m'as dit qu'il était aux petits soins... Il y a quelque chose que tu ne me dis pas ?

— Non, non.

Elle semblait hésitante. Je la regardai avec insistance.

— Non, non, ça va. Ça va, répéta-t-elle, tentant de me rassurer.

— Lulu, je te connais. Fais pas ça.

— Quoi ? Faire quoi ?

— Jouer à l'huître qui ne veut pas s'ouvrir. Souffrir en silence et revenir vers les autres une fois que tu as tout digéré. Ça ne serait pas la première fois que tu me fais le coup.

Pour m'empêcher d'aller plus loin, elle se confia :

— Bon. C'est pas la grande forme, nous deux ; on a passé à travers des affaires difficiles. Oui, il a été présent, oui, il m'a secondée. Maintenant que je suis guérie, il s'accorde beaucoup de récréation. Sans moi. Mettons que, ces temps-ci, c'est... calme. On ne peut même pas se disputer, il n'est pas là.

Elle se tourna vers moi et arbora son plus grand sourire, l'œil frondeur.

— T'en fais pas, je suis sortie du cancer, je suis en rémission et, surtout, j'ai fini de l'attendre. S'il ne veut pas partager ça avec moi, c'est pas grave. Je suis guérie et je trouve que la vie est belle. J'aurais aimé faire plein de trucs avec lui, mais ces temps-ci, ça n'a pas l'air de le tenter. Tu sais, on n'est pas les seuls. Ça arrive chez les vieux couples.

— Vous n'êtes pas vieux.

Elle rectifia :

— Les couples de longue date, si tu préfères. Alors je ne m'empêche pas de vivre. Je fais mes choses de mon côté. Sans lui.

— Tes choses ? lui demandai-je, inquiète. Tu as quelqu'un d'autre ?

Elle éclata franchement de rire.

— Non, non... Remarque, c'est pas l'envie qui manque ! Rassure-toi, je veux juste dire que je ne reste plus à la maison à l'attendre. J'exige seulement qu'il m'avertisse. Ce qu'il fait. Comme tu peux voir, tout va bien. En plus d'être venue t'accueillir, je vais pouvoir souper avec toi et coucher à la maison jaune. Et tu vas me raconter ton voyage dans les moindres détails. Je veux tout savoir.

Puis elle se tut. Nous venions d'emprunter l'autoroute 10 et le nombre de voitures avait diminué. La nature se faisait plus belle dans le paysage environnant : les grands arbres qui bordaient la route, les champs fleuris ou remplis de cultures prometteuses, les jolies maisons, les montagnes au loin. Cela me fit du bien. Je retrouvais un peu de beauté même loin de l'Italie. Ce n'était pas le même décor, mais ça s'en approchait. Quelques années auparavant, lorsque j'avais pris la décision de quitter Montréal et d'aller habiter dans les Cantons-de-l'Est, il y avait un grand panneau publicitaire à la sortie du pont Champlain sur lequel on pouvait admirer un paysage typiquement italien, semblable à celui que je contemplais justement. En grosses lettres, on pouvait lire : *La Toscane ?*

Et en dessous on découvrait la réponse dans une photo de paysage tout à fait québécois : *Non. Les Cantons-de-l'Est !*

Mes angoisses liées à la laideur des échangeurs autour de l'aéroport Trudeau s'estompèrent à mesure qu'on roulait vers mon village. Tout cela me faisait du bien à l'âme. Puis je me remis à penser à Lulu et à sa détermination face aux absences répétées d'Armand. Dieu que c'est compliqué, la vie de couple ! Moi qui vivais seule depuis tant d'années, je me questionnai à savoir si j'y arriverais. Heureusement, avec Bernardo, il n'avait jamais été question d'en former un, malgré nos ébats et nos émois. Nous avions vécu une belle aventure, pas facile à gérer à cause de la proximité du frère et de la belle-sœur de Bernardo, mais tout de même fort excitante. Y aurait-il une suite ? Bernardo serait-il différent lorsque je le reverrais de ce côté-ci de l'Atlantique ? Un Italien en Italie est sûrement bien différent d'un Italien au Québec. Même s'il partage sa vie entre la Toscane et Montréal. Une fraction de seconde, je revis son beau visage buriné par le soleil, entouré de cheveux noirs parsemés de quelques plumes blanches, ses petits yeux rieurs et son sourire énigmatique. Joli souvenir qui me fit soupirer d'aise. Ah ! *Che sarà, sarà !*

7

Alors que nous empruntions la sortie 90, mon cœur se mit à bondir dans ma poitrine. Mon Dieu que c'était beau ! Ces petits lacets à parcourir à basse vitesse, entourés d'une multitude d'arbres qui déploient leurs ailes jusqu'à se toucher parfois au-dessus de nos têtes. Et le lac qui joue à cache-cache à travers la végétation, bordé de chalets aux nombreuses couleurs vives. J'avais oublié cette route que j'aimais tant. À cet instant, je sus que je revenais tranquillement à la maison. Non pas que j'effaçais d'un coup tout ce que je venais de vivre, mais mon chez-moi m'apparaissait invitant. Par le passé, chaque fois que je faisais ce trajet qui me menait de l'autoroute à mon village et à ma maison, je laissais tomber les épaules pour me débarrasser de la tension accumulée dans la grande ville et sur la route, et je commençais à respirer différemment. Une fois de plus, le calme s'installa en moi.

— Cette route est vraiment unique, dit Lulu, qui semblait lire dans mes pensées.

— Ta campagne aussi est belle, lui rappelai-je.

— Oui... Sauf que je traverse des terres de cultures où il y a peu d'arbres. C'est pour ça qu'Armand en a planté un grand nombre.

À l'évocation de ce dernier, je ne pus m'empêcher de reprendre le sujet que Lulu et moi avions laissé de côté et qui me chicotait encore. Les réponses que m'avait servies Lulu ne me satisfaisaient pas.

— Lulu, qu'est-ce qui se passe vraiment avec Armand ?

— Tu veux dire, qu'est-ce qui ne se passe pas entre nous ? Écoute... je ne sais pas comment c'est arrivé. L'usure, peut-être ? Le quotidien qui emboîte le pas ? Nos activités qui ont pris une tangente différente ? Un peu tout ça, en fait. Je l'ai suivi pendant toutes ces années dans ses rêves et ses délires. Et puis là... Est-ce la peur de mourir qui m'a amenée là ? J'ai moins envie de tripper dans ses folies. Je ne suis pas inquiète...

— Quels délires ?

Elle partit d'un grand éclat de rire. Et me dit qu'elle n'avait juste pas envie de se retrouver avec les amis de son chum pour les entendre discuter de tout et de rien jusqu'aux petites heures du matin.

— Et surtout pas de leurs sujets préférés : l'installation d'une turbine qu'ils veulent aménager dans le bois, à partir de la chute de la rivière ; ou de la cache qu'ils vont construire dans un arbre pour leurs parties de chasse. Ou je ne sais plus quoi encore. Que de grands questionnements masculins qui ne m'intéressent absolument pas.

Elle freina doucement et dirigea la voiture vers l'entrée bordée d'arbres.

— Madame, vous voilà chez vous.

Je levai les yeux et, tandis que nous longions la longue clôture blanche, j'eus les larmes aux yeux. Ma maison jaune était si belle dans la lumière de cette fin de journée ! Les fleurs s'en étaient donné à cœur joie. L'odeur du gazon fraîchement tondu chatouillait nos narines et le reflet de l'eau du petit étang près de la cuisine miroitait en éclats dansants sur les murs ocre.

Presque chaque fois que j'arrivais sur ma propriété, je ne cessais de me répéter: « C'est à moi, tout ça! Cette maison jaune est la mienne? » Je fis une sorte d'acte de contrition. Comment avais-je pu effacer tout ça de ma mémoire?

— J'avais oublié que c'était si beau.

Un grand cri résonna dans l'allée. Allison arriva en courant pour m'accueillir.

— Tiens, v'là l'Italienne!

Elle s'adressa à Lulu, qui tentait de dégager ma valise du coffre arrière.

— Savais-tu que notre belle Olivia ne voulait plus revenir? Qu'elle a tout fait pour prolonger son séjour?

— À cause de Massimo? demanda Lulu à bout de souffle, toujours aux prises avec ma valise, qui s'obstinait à rester à l'intérieur du coffre.

— Non, non, dis-je distraitement.

— À cause de qui? demandèrent en chœur les filles.

— Euh... Bernardo, c'est lui qui...

Le chœur des amies reprit du service.

— Bernardo! C'est qui, lui?

— Ah... vous êtes bien fatigantes, les filles. Laissez-moi arriver.

— C'est qui? C'est qui, ce Bernardo?

Je me sentis obligée de répondre.

— Le voisin de Massimo. Un propriétaire de plantations d'oliviers.

— Juste un voisin... ou...

Pour toute réponse, j'éclatai de rire. J'avais les joues en feu après leur interrogatoire.

— Elle a rencontré un Italien! hurla Allison. Et c'est maintenant que tu en parles!

— Un Italien! répéta Lulu. Et tu ne disais rien.

— Qui a rencontré un Italien? demanda Jules, qui sortait de la maison.

— Olivia! répondit le chœur des crevettes.

Allison ajouta qu'il donnait dans l'olive.

— Olive et Olivia, susurra Lulu… C'est de bon augure. Ma cachottière ! Quand est-ce que tu comptais nous en parler ?

— Ouin ! fit Jules. Ben, ma belle, tu vas devoir mettre de côté l'olivier, ses olives et tout ce qui va avec. Tu as de plus grosses préoccupations ici même.

Et la rigolade se termina là.

— Oh ! protesta Allison. Laisse-la arriver.

— C'est vrai ! Je n'y pensais plus, dis-je. Y a ça qui m'attend.

— Pas seulement ça. Tu as une tonne de courrier sur ton bureau et ta banque n'arrête pas d'appeler depuis deux jours. Ils veulent te parler.

— Ah ! Jules ! Franchement. Es-tu obligé de lui garrocher ça d'un coup ? Elle vient de débarquer de l'avion.

— Ben quoi ! Que c'est que j'ai dit ? se défendit Jules. C'est la vérité, non ?

— Rends-toi utile au lieu de dire des niaiseries, lança Allison en lui ordonnant de prendre ma valise qui, je me rendis compte, devait peser une tonne, à voir les efforts qu'il eut à déployer.

Lulu me prit le bras et m'accompagna vers la maison.

Il n'y avait pas à dire, ma demeure, malgré les problèmes qu'elle occasionnait, avait vraiment fière allure.

8

La maison ne m'avait jamais paru aussi grande. Il faut dire que la maisonnette de Massimo était minuscule en comparaison de la mienne. Je m'étais habituée à ces petites pièces où rien ne manquait. Alors, qu'est-ce que je faisais avec une aussi grande demeure ?

— C'est bien grand, cette maison !

Allison se défendit.

— Je te jure qu'on a ajouté aucune pièce. On a suffisamment eu à faire avec la nôtre !

Je déposai mon grand sac sur le plan de travail de la cuisine et commençai à faire le tour du rez-de-chaussée. Le soleil qui déclinait sur la terrasse à cette heure, les multiples fleurs qui entouraient le jardin, les grands arbres qui se balançaient doucement, la fontaine qui chantait dans l'étang, tout cela me fit monter les larmes aux yeux.

— Oh ! Notre Olivia est émue de retrouver sa demeure, déclara Lulu en me voyant troublée de la sorte.

En fait, un mélange d'émotions m'assaillait. Bien sûr, j'étais ravie du paysage qui s'offrait à mes yeux, mais en même temps, je ne pouvais m'empêcher de penser à tout le travail que cette propriété exigeait.

J'en profitai pour remercier Allison et Jules d'avoir si bien entretenu le jardin.

— J'ai préféré demander de l'aide aux Frizzel. On n'avait pas le temps de tout faire. Ils sont géniaux, ces gens. J'attendais que tu reviennes pour que tu me donnes la permission de t'emprunter Mary et Ken à l'occasion. On ne fournit plus chez nous.

Jules ajouta que si Jeremy était libre, il ferait appel à lui également pour la pelouse.

— Tant que les travaux ne sont pas terminés, je n'ai aucune minute pour jouer dans le jardin, expliqua-t-il.

— Pas de problème, dis-je. Ils sont libres. S'ils me gardent quelques heures par semaine, ça me va.

Tandis que je regardais un peu partout pour retrouver mes repères, j'étais aussi à la recherche de mes petites bêtes adorées.

— Où sont les minous ? demandai-je.

Pour toute réponse, j'entendis un bouchon qu'on venait de faire sauter de sa bouteille. Et Jules arriva dans le salon en me tendant un verre de mousseux.

— Ah ! Tes chats ? Quels chats ? Y avait des chats ici ?

— Jules ! s'exclama Allison de la cuisine.

— Ah ! Tu veux parler de ces deux manchons de fourrure qui laissent des paquets de poils partout ?

Allison arriva dans la pièce avec les flûtes pour Jules et Lulu. Cette dernière portait une petite assiette de hors-d'œuvre et le seau à champagne.

— Ils courent encore à cette heure, précisa Allison. Veux-tu que je les appelle ?

— On s'installe dehors ? demanda Lulu, qui se rendait sur la terrasse sans attendre notre réponse.

Je les suivis. J'allais revivre l'heure de l'apéro que j'aimais tant à Pitigliano. On s'assit autour de la table.

— Je t'ai choisi un *prosecco* pour que tu ne te sentes pas trop perdue, me confia Allison.

— Tu es gentille, lui dis-je.

Je me levai d'un bond et repartis au pas de course vers la maison.

— Qu'est-ce que tu fais ? cria Lulu. On va lever nos verres.

Je répliquai à travers la moustiquaire que j'arrivais. Je fouillai dans mon grand sac de voyage et revins sur la terrasse avec deux sachets d'olives au moment où mes deux chats s'approchaient d'un pas paresseux, chacun de son côté.

Je laissai les olives sur la table et me penchai vers mes petites bêtes.

— Mon gros Maxou ! T'es bien beau !

Je tendis la main dans sa direction pour le flatter. Il recula la tête, pas trop sûr de mes intentions. Il renifla longuement mes doigts, et chaque fois que j'essayais de caresser son pelage, il s'esquivait. Je me tournai alors vers Rosie, qui m'observa comme si elle me voyait pour la première fois de sa vie et se rendit vers Jules, l'air de dire : « Je ne la connais pas, celle-là ! » Elle sauta sur les genoux de ce dernier en me regardant fixement. « Ça t'apprendra à m'abandonner, semblait-elle me dire. Je me suis trouvé quelqu'un d'autre à aimer. » Maxou en profita, lui, pour me mordre les doigts que je tenais toujours tendus devant son museau, puis il fila au pas de course vers la maison, comme s'il ne me connaissait pas du tout.

— Maxou ! Beau comité d'accueil, dis-je, un peu triste.

— Laisse-leur le temps de se réhabituer. Ça fait toujours ça, les animaux. C'est comme les enfants, ils boudent un peu quand on revient.

— Oh ! Parlant de progéniture, s'écria Jules, ton fils a téléphoné pour te dire que tout le monde va bien et qu'il va te faire signe ce week-end. S'il n'a pas trop de travail.

Je pris mon verre pour ne pas montrer ma déception et on trinqua à mon retour. Le liquide doré aida à faire passer le « motton » qui s'obstinait à monter dans ma gorge.

Jules se leva d'un bond, tout en gardant Rosie dans ses bras.

— Bon ! C'est pas tout, ça. J'ai du travail qui m'attend chez moi.

Il dit à mon intention qu'il allait déposer Rosie dans la maison, puisqu'une fois la nuit tombée il était préférable de laisser les bêtes à l'intérieur.

— Plusieurs chats ont disparu dernièrement. On soupçonne un renard.

— Un renard ? Dans le village ?

Allison m'apprit que des voisins en avaient vu quelques-uns rôder dans le coin. Et les chats disparaissent.

— On prend pas de risque. Aussitôt qu'on tient les deux, on les rentre. Parce que ça aime se sauver dans la nature, ces petites bêtes.

J'attrapai Rosie au passage et tentai de lui donner un bisou. Elle se rebiffa et se blottit dans le cou de Jules. Je n'insistai pas.

Avant d'entrer, Jules demanda à sa belle si elle pensait dormir encore une nuit à la maison jaune.

— Ça va dépendre du souper. Je vais t'appeler.

— Bye, les filles. Buvez pas trop.

On salua Jules, qui continuait de faire des mamours à Rosie. À travers la moustiquaire, je le vis en faire autant à Maxou. Puis il marmonna toutes sortes d'expressions un peu idiotes qu'on dit aux animaux qu'on aime : « Gros paquet de poil, ma *sexy girl*, gros toutou d'amour, tite tite fille... »

Allison rit franchement.

— Ouin ! Il me les a pas mal gâtés, le motard, dis-je en riant également.

— Faudrait pas que ses chums de bicycle le voient en pleine déclaration d'amour. J'ai eu envie de l'enregistrer et de faire écouter ça à sa gang au prochain party. C'est un sale coup ! Je le ferai pas. Il va drôlement s'ennuyer de ses bébés. Lui qui trouvait au début que les chats, c'était juste un paquet de troubles.

On entendit la moto de Jules démarrer tandis qu'on se servait à nouveau du mousseux ; puis Lulu s'attaqua aux sachets d'olives. Elle entreprit de lire l'étiquette dans un italien hésitant.

— *Produzione dell'Oliveto Simonelli.*

Je fis la traduction.

— En gros, ça dit : production de l'oliveraie des Simonelli.

— C'est qui, les Simonelli ? demanda Lulu.

— Les voisins de Massimo. Bernardo et…

— Le Bernardo ? coupa Allison.

— Oui. Bernardo et son frère Ernesto. Ils ont une immense oliveraie. J'oubliais, la famille comprend aussi la belle-sœur. Nicoletta, la femme d'Ernesto. Mais elle, c'est un cas. Elle m'a détestée dès la première minute.

— Raconte ! crièrent en chœur mes deux amies, ravies d'entendre une histoire à l'italienne.

— Ça risque d'être long, les prévins-je.

— Yé ! s'exclamèrent Allison et Lulu en pouffant de rire comme deux gamines enchantées au plus haut point à l'idée de « mémérer » un peu.

9

Je ne sais pas comment je fis pour tenir le coup malgré la fatigue, le décalage horaire et l'angoisse inhérente aux problèmes de la maison, mais je passai une partie de la nuit debout. Encouragée par mes deux copines avides de détails, je leur racontai tout. Ou presque.

D'abord, mon arrivée à Rome, la voiture qui roulait à vive allure sur les autoroutes, puis l'acharnement de Massimo, qui s'était mis dans la tête que je devais absolument parler italien, en commençant par les salutations d'usage et les formules de politesse.

— Juste ça, c'est pas simple. Le bonjour du matin et celui de l'après-midi ne sont pas les mêmes, pas plus que ceux pour souhaiter le bonsoir, la bonne soirée et la bonne nuit.

Je fis une petite démonstration.

— *Ciao* ou *salve*, selon à qui tu t'adresses. Puis, *buon giorno*, *buona sera*, *buona notte*, *arrivederci* ou *arrivederLa*, *per favore*, *per piacere*, *grazie*, *grazie mille*, *prego*, *scusi*, *pronto*.

Les filles trouvèrent que je ne m'en sortais pas trop mal.

Puis elles voulurent tout savoir sur la maison que la maman de Massimo lui avait laissée en héritage.

Tandis qu'Allison nous servait le repas, j'eus l'impression qu'elle me présentait une assiette moins copieuse que la sienne et que celle qu'elle tendait à Lulu. Je me retins d'intervenir, son geste me fit seulement sourire. Mes copines prenaient soin de ma taille. Je n'avais pas très faim, de toute façon, mais je me forçai pour faire honneur à son plat de pâtes, afin de ne pas la blesser; après tout, elle avait tout préparé de ses blanches mains, comme elle disait, elle qui mettait si peu souvent les pieds dans la cuisine et la main à la pâte.

— Délicieux, dis-je à Allison. Tu as mis le paquet.

— J'avais envie que la coupure entre la Toscane et ici ne soit pas trop tranchante, si je puis dire.

— Ne t'inquiète pas, la rassurai-je, ce n'est pas demain que je vais arrêter de cuisiner italien. Surtout avec tout ce que j'ai appris de nouveau. Je sais bien cuire la *polenta*, maintenant, je me débrouille pas mal avec les *risotti*, et je peux faire mes pâtes maison, annonçai-je fièrement. Sans compter les *semifreddi* qui n'ont plus de secrets pour moi.

Lulu et Allison me regardèrent toutes les deux avec cette lueur de découragement dans l'œil, accompagnée du petit pincement de lèvres que toute fille est capable de détecter à des kilomètres à la ronde lorsqu'il est question de régime amaigrissant.

— Ah! dis-je, je ne commencerai pas à me prendre la tête avec ça.

— À notre âge, il faut commencer à se prendre la tête avec ça, si on veut que les hommes continuent à nous prendre le... déclara Lulu. Sinon, ils vont reluquer ailleurs. Ils sont comme ça, les gars, il faut que ça les attire, sinon ils vont ailleurs où c'est plus svelte, plus frais, plus ferme.

— C'est parce que ton chum... pardon, ton mari est plus jeune que toi que tu dis ça, m'objectai-je.

— Pas seulement pour ça, ajouta Lulu. Si on ne fait pas attention à nous, les gars...

— Je fais attention à tout ce que je mange ou bois. Si je fais des excès, je me mets aussitôt au régime, je m'entraîne et je vais bientôt me faire refaire le cou, nous annonça d'un seul souffle Allison.

— Le cou ?

C'était à notre tour, à Lulu et moi, de chanter dans la même chorale.

— Ben oui, fit Allison le plus sérieusement du monde. Le cou trahit toujours notre âge. Pourquoi vous pensez que toutes les filles dans la cinquantaine qu'on voit à la télé ou en photo posent toujours avec une main qui, mine de rien, retient le menton ou enrobe carrément le cou, sans compter celles qui portent un foulard savamment noué, quand elles n'adoptent pas carrément le col roulé ? Hein ? C'est sûr qu'elles ont plus de cinquante ans, et elles font tout pour le cacher même si elles emploient des trucs hyper féminins pour que ça ne paraisse pas. Mais personne n'est dupe.

— Je suis mal barrée, dis-je en riant. Moi, je hais les foulards et j'étouffe même de loin lorsque je vois quelqu'un qui a un col trop serré.

À cet instant, je remarquai que Lulu abaissait délicatement la main qui retenait son menton. Prise en flagrant délit de camouflage, elle me fit un petit sourire coupable. Allison, elle, continuait sur sa lancée.

— Le cou, ça ne ment pas. C'est ça qui paraît en premier. Les joues sont encore lisses, et le cou, lui, il plisse.

— Et le cou, et le front, et les yeux, et le cul. Alouette ! déclara Lulu.

— On en est donc là, soupirai-je, découragée. Déjà que, vieillir, c'est pas facile, il faut en plus se priver de tous les plaisirs. Faut maintenant qu'on se fasse refaire la façade et le derrière. J'aime encore mieux faire ça sur ma maison.

Lulu et Allison rirent de ma comparaison et commencèrent à énumérer tout ce qui était à refaire, à remodeler, à remonter, à tirer et même à remplacer sur leur personne. Je les écoutais distraitement et commençais à cogner des clous.

Après leurs élucubrations, qui durèrent trop longtemps à mon goût, je leur déclarai qu'elles étaient chiantes.

— Vous trouvez pas qu'on en a déjà assez à surveiller ? Pas tomber malade, pas tomber tout court, pas perdre la mémoire même si on perd des bouts et que nos cheveux nous délaissent régulièrement. Faire attention à nos os qui pourraient casser, à nos dents qui risquent de tomber, à nos yeux dont la vue baisse, sans compter qu'on risque d'être dures de la feuille. Il y a une autre menace qui nous talonne, celle de ne plus être totalement « étanches » ; on va laisser échapper des vents bruyants et odorants et des gouttes dans nos couches-culottes. En plus, on est déjà à risque de se faire remplacer les genoux et les hanches. Ça fait beaucoup, pour une seule femme. Alors, les rides et les cous flasques !... Lâchez-moi avec ça. Heille ! C'est rendu qu'ils offrent sur Internet de la crème rajeunissante pour des fillettes de douze ans ! Mais, je promets que je vais faire attention à ce que je mange et je vais reprendre l'exercice puisque le jardin va demander des soins constants. Ça vous va comme ça ?

Les filles évaluèrent ma proposition, mais ne semblèrent pas très satisfaites, peut-être ébranlées par la description que je venais de leur servir sur la vieillesse qui nous guettait toutes sans exception.

— De toute façon, continuai-je, je vous connais. Si moi je ne le fais pas, ce régime, vous allez me surveiller.

Comme elles ne réagissaient pas, je déclarai forfait.

— Parfait, conclus-je. Je vous jure que je vais faire attention. Et si on parle encore de mes poignées d'amour, je me tais pour le reste de la soirée.

Et je croisai les bras pour qu'elles comprennent bien que les sujets « régime » et « réfection de chaque partie du corps » étaient clos. Je savais pertinemment que ma menace sur mes deux amies curieuses vaudrait son pesant d'or, si je puis dire. Elles s'exclamèrent à nouveau qu'elles voulaient tout savoir.

— O.K., O.K. On change de sujet, promirent-elles, ne pouvant s'empêcher d'ajouter que je serais tellement contente de retrouver ma taille d'avant.

Je rageai entre mes dents. Elles se turent, prêtes à tout entendre.

Je parlai rapidement des installations dans la maison de Massimo. Le grand ménage, la construction de la mezzanine qui servirait bientôt de chambre d'amis, l'installation de la terrasse avec sa somptueuse table pour assister aux couchers de soleil, nos balades dans la région, ses problèmes avec le notaire et l'évaluateur et l'architecte pour les plans de la nouvelle mezzanine. Nos séances de magasinage pour de nouveaux meubles, la literie, les rideaux…

— Et… ? dirent-elles à l'unisson.

— Et… il y a eu la rencontre de Bernardo.

10

Les pâtes refroidissaient dans les assiettes tant les filles étaient pendues à mes lèvres. Je racontai comment, lors de notre première rencontre, j'avais fait une folle de moi en pensant que Bernardo était un Italien de souche puisqu'il était le voisin immédiat de la mère de Massimo. Je n'avais pas songé une seule fois qu'il ait pu parler français.

— Vous me croirez pas, les filles, mais tandis que Bernardo me regardait, j'ai hurlé à Massimo qui était dans la maison, coincé au téléphone, comment je trouvais son voisin beau avec... euh... comment j'ai dit ça déjà, tentai-je de me souvenir, ah oui, si magnifique avec ses yeux de braise et ses lèvres d'enfer!

— Qu'est-ce qu'elles ont de si particulier, ses lèvres? s'informa Allison.

— Rien de spécial. Pas très pulpeuses, en fait, mais retroussées comme dans un sourire, dis-je candidement.

— C'est pas le Joker dans *Batman* qui a un sourire comme ça? me répondit-elle du tac au tac.

— Très, très drôle. Ça m'a toujours fascinée, une bouche comme ça.

— Et lui, qu'est-ce qu'il faisait pendant que tu te pâmais sur ses belles babines? demanda Lulu.

— Ben, lui, il restait là à sourire et à me regarder. Puis moi, la folle, je continuais. Je disais à Massimo à quel point je trouvais que Bernardo avait des mains sensationnelles. Je me sentais tout à fait ridicule de le regarder sans pouvoir rien dire. J'ai fini par lui exprimer à l'aide de gestes et de petits mots que m'avait appris Massimo que ce dernier était dans la *casa* au *telefono con il notaio*, au téléphone avec le notaire, et j'ai mimé en montrant ma montre que ça ne serait pas trop long. Je lui ai fait signe de s'asseoir et il m'a suivie. Puis on a regardé droit devant nous.

Il s'est mis à m'expliquer toutes sortes de choses en désignant sa maison. J'ai reconnu les mots : *amico di sua madre,* puis : *casa mia.* Il parlait vite comme si j'allais comprendre quelque chose. Mais je m'en foutais, de ce qu'il racontait. Je le dévorais des yeux.

— Puis ? s'enquit Lulu, sous le charme.

— Puis, il a sorti une poignée d'olives de sa poche, les a mises dans mes mains et a entrepris de me raconter, enfin, je pense que c'est ça, l'histoire de son oliveraie.

— Toi, qu'est-ce que tu faisais ? demanda Allison, l'œil tout aussi brillant que celui de Lulu.

— J'ai… écouté. À la fin, comme il ne comprenait rien, je me suis mise à dire tout haut qu'il devait me prendre pour une vraie demeurée, mais que ça m'était égal parce que je le trouvais tellement magnifique et si touchant avec ses mains calleuses et ses yeux ridés par le soleil. C'est vrai, précisai-je aux filles, c'est la première fois que je vois un homme si… mature. Il me semble que je n'ai fréquenté que des grands ados qui n'ont pas encore vieilli. Lui, c'est un homme. Pour faire une histoire courte, Massimo est arrivé et me l'a présenté.

Pour le compte des filles, je mis un peu d'emphase en imitant la formule qu'avait employée Massimo.

— *Il signor* Bernardo Simonelli. *La signora* Olivia Lamoureux. Massimo m'a même suggéré de lui dire *piacere,* pour lui signifier que ça me faisait plaisir de le rencontrer. Puis les gars ont parlé ensemble en italien, évidemment, et avant de partir, Bernardo m'a dit au revoir et à bientôt dans un français parfait. Il a même ajouté que tout ce que je lui avais confié lui avait plu énormément !

— Quoi ? s'exclamèrent les filles. Tout ce temps-là, il comprenait le français ?

Je fis signe que oui, en précisant qu'il le comprenait et le parlait parfaitement. Et je rougis autant que la première fois.

Ce fut l'hilarité générale. Mes amies n'en revenaient pas.

— Massimo et son voisin aussi ont beaucoup ri. Pendant des jours.

— Y a juste toi qui peux te mettre dans une situation pareille, me dit Lulu. Mais l'as-tu revu ?

Je commençai d'abord par m'intéresser à mon plat de pâtes, puis chipotai un peu dans mon assiette de salade. Je bus quelques gorgées et les regardai en souriant. Leur impatience me faisait plaisir.

Je déclarai que je m'endormais trop et que je pourrais peut-être leur conter la suite le lendemain.

— Tu ne peux pas nous laisser comme ça, s'objecta vigoureusement Allison. Heille ! J'ai laissé mon chum tout seul ce soir pour entendre cette histoire.

— Oui, c'est vrai, ça, ajouta Lulu, de plus en plus pompette. J'ai même décidé de dormir ici pour tout savoir.

— Avec ce que tu as bu, c'est un peu normal que tu ne reprennes pas la route, dis-je, tout sourire.

— Ah ! C'est à ton tour d'être chiante, se plaignit Allison. Est-ce qu'on va avoir la suite de cette histoire ?

11

— Oui, oui. Et il va y avoir une suite à cette relation, puisque je vais le revoir. Enfin, si ça lui tente toujours.

Je regardai mes copines, avides de détails.

— Bernardo habite Montréal presque à temps plein. Il a deux grands enfants aux études, et il va en Italie quelques mois par année pour les récoltes et l'embouteillage des huiles.

— Est-ce qu'il est libre ? demanda Lulu.

— Ah non ! s'écria Allison, pas encore un marié qui veut seulement les à-côtés !

J'agitai les mains devant moi pour calmer leurs ardeurs.

— Oui, il est libre. Mais, mettons… comment je pourrais dire ça ? Il est davantage disponible à Montréal qu'en Italie.

— Comment ça ? s'inquiéta Lulu. Il a quelqu'un d'autre là-bas ?

— Et, vous… avez… consommé la chose ? s'informa Allison sans attendre ma réponse à la question de Lulu.

Je regardai mes amies et j'hésitai un peu avant de raconter ce chapitre intime. Je commençai par ce qu'il y avait de plus agréable.

— Nos débuts ont été, somme toute, assez rigolos.

— Comment ça ? s'écrièrent, de nouveau à l'unisson, mes deux grandes amies.

Puis elles se regardèrent en retenant un rire, étonnées d'être parfaitement synchronisées, une fois de plus; elles unirent leurs petits doigts en faisant un crochet et débitèrent la formule que nous employions, enfants.

— Lulu…

— Allison…

— Que ton désir se réalise…

— Et le tien également.

Tandis qu'elles fermaient les yeux pour se concentrer sur le vœu réclamé au destin, au ciel ou à je ne sais quelle divinité, je les observai; je pensai à quel point la plupart des filles restent comme des adolescentes lorsqu'il est question d'amour dans les conversations, moi la première! Et même lorsque ces filles ont atteint un âge vénérable, assumé ou non. Je continuai mon récit.

— On a très vite été attirés l'un par l'autre, mais…

Je levai la main pour les empêcher de parler de nouveau à l'unisson.

— Mais, poursuivis-je, ce n'était pas facile d'avoir un peu d'intimité. Je trouvais délicat de demander à Massimo de me prêter son lit, étant donné que sa mère y avait quasiment passé ses dernières nuits, et comme la mezzanine n'était encore qu'un croquis sur un plan, je dormais sur le divan du salon. Pas très discret, ça non plus.

— Puis chez lui? Tu n'as pas dit qu'il habitait chez son frère lorsqu'il se trouvait à Piti… Piti… quoi déjà?

— Pitigliano. Oui. C'est justement là que ça se gâte, ma belle Allison. Le frère et le papi, ça pouvait aller, ils ne semblaient pas mal prendre notre attirance; ils s'en fichaient. Mais la belle-sœur, oupelaïe! Méchant problème.

J'expliquai que Nicoletta protégeait Bernardo comme son petit, même si elle avait à peine quelques années de plus que lui. Mais surtout, elle veillait religieusement à préserver la mémoire de la défunte épouse de son beau-frère.

— Bernardo est veuf? demanda Lulu.

Je fis signe que oui.

— Dans les faits, mais dans la réalité...

Je racontai que Fiorella, la défunte, était toujours aussi présente, grâce aux bons soins de Nicoletta, qui pleurait encore beaucoup la sainte, la parfaite, l'inoubliable belle-sœur qu'elle chérissait tant, même si son départ pour l'autre monde remontait à plus de huit ans.

— Non!

— T'es sérieuse?

J'acquiesçai de nouveau, puis précisai que, ce qui me troublait, c'était la façon dont Nicoletta repoussait chaque femme qui voulait s'approcher de Bernardo. Il n'y avait pas qu'avec moi qu'elle montrait les griffes. Elle agissait de la même façon avec toutes celles qui mettaient le pied dans la cour des Simonelli ou posaient les yeux sur Bernardo. La dame qui apportait les œufs, la femme qui venait aider à faire le ménage, la jeune fille des voisins plus bas...

Lulu, fidèle à elle-même, se fit l'avocat du diable et voulut savoir comment je pouvais comprendre ce que la belle-sœur disait puisqu'elle ne parlait que dans son dialecte.

— Voyons, Lulu, répliquai-je, la langue italienne se parle autant avec les mots qu'avec les mains. Il y a des gestes, des expressions faciales qui ne mentent pas.

J'en fis la démonstration en agitant une main, doigts vers le bas, pour signifier à quelqu'un de déguerpir rapidement. J'ajoutai quelques rictus pincés, des yeux méchants; je plaçai ma main sous mon menton en frottant ce dernier de petits coups secs vers l'avant.

— Tu vois, j'arrive à parler et à comprendre l'italien.

Les filles se bidonnèrent.

Je repris mon récit sur la belle-sœur, qui faisait revivre l'épouse de Bernardo à tout moment. Il fallait l'entendre et la voir prononcer le nom de Fiorella, les yeux tournés vers le ciel. Elle n'avait que ce nom à la bouche en ma présence. Bien que Bernardo fût un grand garçon de cinquante ans passés, ne s'en approchait pas qui voulait. Enfin, Nicoletta semblait se considérer comme le cerbère des lieux, comme la gardienne intraitable du souvenir de la défunte, qu'elle faisait réapparaître à chaque occasion, surtout si l'occasion ne s'y prêtait justement pas. Pour illustrer mes dires, je racontai une anecdote aux filles :

— Une de mes premières rencontres avec Nicoletta est à inscrire dans le grand livre des maladresses. Je l'ai croisée dans la cour au moment où je sortais de la grange en compagnie de Bernardo. J'avais les joues en feu, les cheveux ébouriffés, la jupe froissée et le chemisier pas entièrement boutonné. Pas besoin de vous faire un dessin.

Les filles rirent de plaisir ; de vraies gamines.

Comme la maison où logeait Bernardo lors de ses voyages en Italie appartenait à son frère, j'avais trouvé tout à fait normal qu'il ne m'emmène pas dans sa chambre. Alors, lorsque l'envie de batifoler nous prenait, tous les recoins devenaient propices pour abriter nos élans passionnés. La grange était mon lieu favori. L'odeur enivrante du foin, la chaleur ambiante, le matelas piquant – il faut l'avouer –, mais en même temps fort confortable, tout cela contribuait à rendre cet amour naissant des plus excitants, et le petit côté illicite qu'il revêtait était loin de me déplaire.

— Ça rajeunit l'âme et le cœur, ce genre d'exercices, surtout lorsqu'ils ont une saveur d'interdit, vous ne trouvez pas ?

Mes amies étaient d'accord avec moi.

— Bernardo appréciait également le côté illicite de la chose.

— Pis, la belle-sœur, qu'est-ce qu'elle a fait ? voulut savoir Allison, qui luttait contre le sommeil.

Son bâillement fit naître le mien, suivi aussitôt par celui de Lulu.

— Continue, continue, insista Lulu. Je ne vais pas me coucher tant que je ne sais pas tout.

Les souvenirs heureux qui se bousculaient en moi me donnèrent un regain de vie. Je me revis sortant de la grange avec Bernardo et tombant pile sur Nicoletta.

— Mon bel amant avait pris soin de réajuster sa tenue, dis-je aux filles. Il lui a fait son plus grand sourire, comme si nous revenions d'une visite guidée des lieux. Il connaissait bien le tempérament surprotecteur de sa belle-sœur. Pas moi. Mais elle n'a pas tardé à m'en faire la démonstration. Elle s'est adressée à Bernardo avec la sévérité d'une maîtresse d'école, et ce dernier a baissé la tête comme un petit gars pris en flagrant délit.

« J'ai vu ce grand gaillard rapetisser à vue d'œil et regarder le sol ; un enfant qui venait de commettre l'irréparable et s'était fait prendre la main dans le sac. Quant à moi, elle m'a regardée comme si j'étais la dernière des dernières et, d'un geste brusque, elle a enlevé un brin de foin dans mes cheveux et l'a rangé dans la poche de son tablier. Elle voulait peut-être récupérer une parcelle de son bien que je venais de dérober. C'est incroyable ! Cette femme me faisait la leçon. Et impossible de répliquer. Elle ne parle que dans son dialecte et, même si j'avais voulu riposter, mon italien rudimentaire ne m'aurait été d'aucune aide. Massimo m'assure qu'elle comprend le français, mais je ne l'ai jamais entendue prononcer un traître mot dans ma langue. Ce n'est que plus tard que j'ai pu interpréter son geste. À force de la croiser, j'ai fini par déduire que Nicoletta était devenue la concierge qui dépoussière la mémoire de la défunte et fait reluire de tous ses feux la belle-sœur chérie. Sa Fiorella adorée. Sa fleur préférée. La seule femme digne de ce nom, si j'ai bien compris. Bernardo m'avait mentionné la mort de sa femme, mais son souvenir d'elle ne semblait pas aussi présent pour lui que pour sa belle-sœur.

« Les jours qui ont suivi cette première rencontre, j'ai tenté de soutirer un sourire à Nicoletta ; de détendre l'atmosphère, de rendre la situation plus légère. Après tout, on n'était plus des enfants, et la disparue en question qu'elle cherchait tant à protéger était bel et bien enterrée, alors que moi j'étais drôlement vivante depuis que je fréquentais son veuf. Mais rien n'y fit. Elle demeurait intraitable, toutes griffes dehors. Je me faisais le plus discrète possible en essayant de ne pas la heurter. Mais elle restait de glace à chacune de nos rencontres. À partir de ce moment, j'ai décidé de ne pas m'en faire outre mesure. Ce n'était pas comme si j'entrais officiellement dans cette famille. Dans les faits, je n'entrais que dans le regard et les bras de Bernardo. Et plus elle conservait cette attitude, plus j'avais envie de la provoquer. J'en rêvais. Je me mettais à hurler de plaisir comme une perdue dans les bras de Bernardo juste pour choquer ses saintes oreilles, ou alors, je le caressais en sa présence pour la déstabiliser, j'affichais ma conquête devant la famille comme une nouvelle acquisition.

— T'as fait ça ? hurla Allison, contente que je me sois défendue.

— Es-tu folle ? Je n'ai rien fait du tout, mais ça me démangeait drôlement ! À un moment donné, leur avouai-je en riant, l'idée de me présenter devant Nicoletta avec une botte de foin entière sur la tête m'est même passée par l'esprit. Juste pour la faire enrager. Il y a des limites ! On n'est plus au Moyen Âge.

Ce fut à nouveau l'hilarité générale. Je leur confiai que j'avais pu compter sur Massimo, qui m'avait mise au parfum des us et coutumes de la campagne italienne profonde.

— Pour lui, il y a une ligne à ne pas franchir. La *mamma*, par exemple, c'est sacré. Tu ne touches pas à ça.

— D'après ce que tu nous racontes, c'est pas du tout la maman de Bernardo que tu avais envie d'être, lança Allison, passablement éméchée. C'est plutôt la…

— La quoi ? demandai-je, curieuse.

— *La puttana*. C'est comme ça qu'on dit, non ?

Et dans un grand rire, elle me traita de « maudite guidoune ».

J'ajoutai que je fréquentais également les maisons « mal farmées », comme disent les personnages de Michel Tremblay, puisque nos ébats ne se passaient que dans les granges aux planches ajourées.

Le fou rire nous reprit. Nous n'étions plus capables de nous arrêter. Puis le calme revint et je regardai l'heure.

— C'est la bonne heure, ça ? Une heure du matin ?

— Oui, oui, répliqua Allison. C'est une des choses qui marchent bien ici.

— Quoi ? Qu'est-ce qui a d'autre qui ne fonctionne pas ? m'affolai-je.

— Rien… rien. Tout va bien, à part les tuyaux qui font des leurs.

Lulu me recommanda d'y voir au plus vite. Je lui répondis que je m'y mettrais au matin, mais que, pour l'instant, il était temps que j'aille dormir.

— Je ne sais pas si vous vous rendez compte, mais il est près de sept heures du matin, dis-je en regardant ma montre, qui indiquait encore l'heure européenne.

On empila tout dans l'évier sans faire la vaisselle. Allison m'annonça qu'elle avait changé les draps de mon lit pour que je récupère ma chambre, et qu'elle et Lulu dormiraient dans les petits lits de la chambre d'amis.

Je leur demandai pourquoi elles ne prenaient pas chacune une chambre d'amis puisqu'il y en avait deux. La vert pomme et la bleue. Allison m'apprit que la chambre verte était remplie de ses vêtements et de boîtes. Jules n'avait pas eu le temps de tout rapporter à leur maison.

On s'embrassa sur le palier et on se retrouva rapidement, qui en jaquette, qui en pyjama, démaquillées, dents brossées et hop! au lit. J'étais même trop fatiguée pour aller chercher les chats et les emmener dans ma chambre comme j'avais coutume de le faire. Je me contentai de les caresser du bout des doigts. Ils dormaient en boule sur le divan du salon. Je revis une dernière fois le visage de Bernardo et je sombrai dans un sommeil lourd.

12

Je me réveillai en sursaut en sentant une drôle d'haleine près de mon nez. J'ouvris les yeux. Maxou se tenait sur mon oreiller et me chatouillait la joue de ses longues moustaches. Je tendis la main vers son poil soyeux et roux. La bête déguerpit aussitôt, suivie par une autre forme poilue, plus petite et grise : Rosie. Ils sautèrent en même temps du lit. Le soleil se pointait déjà dans la pièce. Je n'avais pas eu la force de fermer les rideaux en me couchant. Je me rendis à la fenêtre et découvris toute la splendeur de mon jardin. Je restai à contempler le paysage qui s'offrait à ma vue. J'appréciai le calme du petit matin, les oiseaux qui chantaient déjà, les brindilles qui se balançaient doucement dans le vent chaud. Et je reconnus avec délices le refrain joyeux de la chute du petit étang sur la terrasse en bas. Tout cela m'avait manqué. Il ne me semblait pas que j'avais dormi longtemps. Un bref coup d'œil au réveille-matin me renseigna. Quelques heures à peine et je n'avais plus sommeil. J'en aurais pour quelques jours à ce rythme, et après tout rentrerait dans l'ordre. Je me surpris à caresser le mur attenant à la fenêtre et je m'adressai à ma demeure, qui me causait bien du souci. « Qu'est-ce que tu me fais là, ma belle ? Je n'ai pas bien pris soin de toi jusqu'à maintenant ? C'est quoi ce nouveau caprice ? Tu as besoin de te rendre intéressante, de faire ton importante ? Pourtant, pendant toutes ces années tu as été ma préoccupation première. Tous les sous que je gagne sont pour toi, toutes les améliorations que j'apporte ne sont là que pour te rendre plus magnifique encore. Alors ? Tu es vraiment obligée de me faire ça ? »

Je soupirai longuement et je descendis pieds nus et en robe de nuit au rez-de-chaussée. Les planches craquaient sous mon poids. J'espérais ne pas réveiller mes copines. Après ce qu'on avait ingurgité la veille, elles avaient besoin de sommeil. J'en aurais pris un peu plus moi aussi, mais en plein décalage horaire, impossible. Aussi bien se lever. Je me faufilai vers la cuisine me préparer un café. Tandis que j'attendais que la cafetière frémisse pour me donner une boisson bien corsée, je sentis la présence des chats contre mes jambes. Je voulus à nouveau les flatter, mais ils se précipitèrent en direction de la porte, attendant que je l'ouvre pour leur permettre de sortir. En fait, ils ne voulaient rien savoir de moi. Tout ce qui les intéressait, c'était de gambader à l'extérieur et fuir au plus vite l'ingrate qui les avait abandonnés trois semaines. La nature les réclamait. Et moi, alors ? Ça faisait une vingtaine de jours que je ne les avais pas vus et ils m'avaient déjà oubliée.

Une fois les chats sortis, je me dirigeai vers la cafetière. Je me versai un grand bol de café et y ajoutai tout plein de lait chaud. J'ouvris le premier tiroir près de l'évier à la recherche d'une petite cuillère pour touiller le tout ; je me retrouvai devant les serviettes de table. Le second tiroir contenait les cuillères de bois et les autres instruments pour cuisiner, et les deux derniers renfermaient le papier d'alu et les sacs de plastique. « Voyons, me dis-je, étonnée, où sont les ustensiles ? Ils étaient là avant que je parte. » De guerre lasse, n'ayant pas envie de me creuser la tête avant ma première gorgée de café, je pris un couteau qui traînait sur le comptoir, l'essuyai et brassai mon café au lait. Je m'appuyai contre le rebord du plan de travail et savourai le *latte*. Mmm... ça avait quand même du bon d'être revenue à la maison. Même si je ne trouvais plus mes ustensiles. J'observai par la fenêtre les chats qui s'intéressaient avidement à une grenouille qui, elle, hésitait entre se jeter dans l'étang et prendre ses pattes à son cou. Puis un cliquetis de clavier attira mon attention. Je me rendis avec mon café en direction du bureau. C'est de là que venait le bruit.

Tout en demeurant dans le cadre de la porte, je découvris Lulu, bien absorbée devant l'écran. Je la regardai à la dérobée. Elle avait changé, mon amie Lulu. Un cancer du sein, ça laisse des traces. Non pas qu'elle avait l'air amaigrie ou fatiguée, bien au contraire. Il émanait de sa personne une légèreté que je ne lui connaissais pas... Avant, il me semble que les choses étaient toujours compliquées pour elle, la vie était lourde et difficile. Elle se sentait responsable de tout et de tout le monde. Peut-être que je me trompais, mais il y avait désormais dans son regard, dans son attitude, quelque chose de plus doux, de moins volontaire. Elle souriait toute seule, tout en continuant de taper un message. Elle ne m'avait pas entendue arriver. Lorsqu'elle releva la tête, elle étouffa un cri de stupeur.

— Je ne voulais pas te déranger, m'excusai-je. Continue ce que tu faisais.

Puis, je m'approchai de sa chaise. Elle devint nerveuse et se précipita sur la souris pour faire quelques clics. Lorsque j'arrivai à portée de l'ordinateur, je vis disparaître de l'écran une page de clavardage.

Elle tenta de s'expliquer, mais la page qui restait en vue titrait en grosses lettres : RENCONTRES.

Il y avait une colonne de photos d'hommes sous lesquelles figurait une brève description.

— Ça m'arrive de… de parler avec des gens.

— Tu te cherches un prospect ? lui demandai-je, intriguée.

— Non. Du monde à qui parler. Je te l'ai dit hier, Armand est jamais là. Et j'en ai marre de parler à mon réfrigérateur et à la laveuse. De toute façon, ajouta-t-elle en riant, ce sont des fréquentations nocives. L'un fait engraisser chaque fois que j'ouvre sa porte et l'autre abîme les mains et les assèche chaque fois que je les plonge sous le couvercle.

Je me penchai et observai de plus près les candidats proposés à l'écran. Je n'avais pas du tout envie de juger mon amie. J'essayais juste de comprendre ce qu'elle vivait.

— J'ai commencé à chatter sur Internet à l'époque où je faisais de la chimio. Il y avait des filles qui racontaient leur parcours sur Facebook. Certains jours, ça me déprimait au plus haut point, mais d'autres fois, ça me faisait un bien fou. De fil en aiguille… j'ai fouillé… puis j'ai voulu savoir qui s'inscrivait sur ces sites. Il y a de tout, je vais te dire.

Je lui proposai un café et, pour toute réponse, elle me montra le verre de jus d'orange qu'elle avait posé sur le bureau. Je désignai du doigt la photo d'un mec qui m'apparaissait assez beau.

— Wow ! dis-je, il est pas mal celui-là.

Elle regarda de plus près.

— Peut-être, mais c'est un con.

Je la dévisageai, l'air interrogateur.

— J'ai déjà discuté avec lui. Un gros nul, imbu de lui-même.

— Et lui ? demandai-je en montrant une nouvelle photo.

— Oh lui ! C'est clair. Marié, ne veut rencontrer que des femmes déjà engagées, pour des petits après-midi relax et sans problèmes.

— Il a écrit ça?

— Oui, c'est dans son texte de présentation.

— Eh ben!

— Y a de tout là-dedans. Des gros qui se disent de poids santé ou sportifs, des supposés à l'humeur égale qui ont l'air bête sur leur photo. Ils trichent tous sur leur âge, ou bien ils ont de très mauvais photographes. Ils sont tous allés à l'université, mais ils font des fautes à chaque mot. Il y a des mecs qui veulent juste baiser sans avoir d'attaches, d'autres qui veulent «partager à trois ou à quatre» ou encore «avec accessoires». Il ne s'agit pas d'un site porno; c'est un site de rencontres tout ce qu'il y a de plus civilisé. Puis il y a ceux qui veulent rencontrer l'âme sœur, la compagne idéale au poids proportionnel, le grand amour avec affinités si possible; c'est textuel, ça. Y a ceux qui veulent seulement faire du sport ou aller au théâtre, discuter, aller au restaurant, ceux qui veulent voyager en agréable compagnie. Mais au bout du compte, ils ne veulent qu'une seule chose.

Je lui jetai un coup d'œil et elle me fit signe que oui.

— Tout ce que veulent ces hommes, c'est la baise, sans les problèmes qui viennent avec.

— On est-tu si exigeantes que ça, les filles? Avec notre *romance*, nos bons sentiments, nos désirs?

— Je ne sais pas, me dit doucement Lulu. Jusqu'à maintenant, je n'ai rencontré personne qui était vraiment prêt à échanger avant de me sauter dessus.

Je restai silencieuse et savourai ce qu'elle venait de dire et quelques gorgées de café.

— Mais, toi, ça va. Tu as ton Italien.

— Oh! fis-je, n'allons pas trop vite en affaires. Bernardo, c'est une aventure pour le moment. Je ne sais pas s'il y aura une suite. On s'est amusés, on a rigolé, picolé beaucoup, batifolé un peu.

— Mais il est quand même doux, un brin romantique, non?

— Oui, oui, acquiesçai-je. Il est tout ça. Mais ça n'est pas gagné d'avance.

Je pris un tabouret et m'assis près d'elle. Je sentais le besoin de lui dévoiler une vérité que j'avais gardée pour moi depuis mon arrivée.

— Tu sais, tant qu'on s'attrapait à la sauvette dans les coins les plus insolites, ça allait. On était bien, les choses coulaient d'elles-mêmes. Mais…

— Mais quoi ? demanda-t-elle, inquiète.

Je lui racontai que, alors qu'il me restait quelques jours de vacances, nous avions décidé de partir tous les deux dans les environs.

— Histoire de découvrir des coins que je n'avais pas explorés avec Massimo.

Je relatai les débuts de l'excursion : la route sur les chemins secondaires, dans la décapotable du frère, les premiers repas, passés à s'empiffrer comme des goinfres, et aussi à goûter à des plats étonnants, mais toujours succulents ; les rencontres fabuleuses avec les mouliniers que fréquentaient les frères Simonelli dans leur tournée annuelle.

— C'est bien, me dit Lulu. Il ne te laissait pas dans l'auto à l'attendre. Armand me fait le coup régulièrement. Et ce qui devait prendre deux, trois minutes, ça va parfois jusqu'à plus d'une heure. Des fois, je perds patience et je m'en vais. À pied, la plupart du temps. Je n'ai pas encore osé partir avec la voiture. Mais ce n'est pas l'envie qui manque.

— Bernardo me présentait à tout le monde. Il semblait même ravi de me faire rencontrer des maraîchers, des marchands de vin, des boulangers. La première journée a été tellement pleine de rencontres et de dégustations de toutes sortes que, le soir venu, dans le petit hôtel que nous avait réservé Bernardo, après un repas copieux, on s'est endormis dans le lit, épuisés. Et le jour suivant a été tout aussi excitant.

On a vu une bergerie, une chèvrerie, des collines avec cyclistes à belles cuisses à chaque détour, une ou deux chapelles. Puis des restos et des *enoteca,* bien sûr.

— C'est quoi ça?

— Euh… des bars à vin, précisai-je. Et le soir venu… alors qu'on en avait follement envie tous les deux… moi, en tout cas, alors qu'on était enfin seuls et qu'on n'était pas obligés de se cacher, de faire ça avec la peur de se faire surprendre, pis que la chambre était ravissante à souhait, eh bien… ça n'a pas eu lieu. Je le sentais tout à coup mal à l'aise, coincé. Ce n'était plus le même homme.

Lulu fronça les sourcils, déçue pour moi.

— J'ai eu le temps d'y réfléchir depuis. J'ai tourné ça dans tous les sens, je n'ai pas compris. Il était toujours aussi charmant et agréable, mais on n'arrivait plus à faire l'amour.

On se regarda toutes les deux avec un air entendu. Puis, je me suis mise à rire.

— Un instant, j'ai eu envie d'aller vérifier dans la salle de bain pour voir si la belle-sœur était pas cachée là pour nous surveiller. Le soir suivant a été pareil. Il avait perdu tous ses moyens. Il m'a ramenée chez Massimo après trois jours. Et comme je devais rentrer à cause du problème d'égout, je n'ai pas profité de la prolongation offerte par Bernardo pour repousser mon retour, j'ai terminé ma valise et il est venu me conduire à l'aéroport de Rome.

— Tu en as parlé à Massimo?

— Pas eu le temps, dis-je. J'ai regretté nos escapades dans la grange. C'était simple, ça.

Lulu proposa une explication qui m'aida à comprendre.

— Justement, déclara-t-elle doucement. J'ai l'impression que ces chambres d'hôtel avaient quelque chose de plus sérieux. Tant que vous étiez dans la grange, c'était un peu en cachette, ça avait un petit côté adolescent, excitant mais qui ne l'engageait en rien. Alors que vos nouvelles rencontres, dans une vraie chambre, un vrai lit, avaient un caractère plus officiel.

« Pourtant, songeai-je, j'avais essayé d'être aussi légère qu'avant, aussi détachée. Pleine de désir, par contre. »

L'appel d'Allison qui venait de se lever nous parvint de l'escalier.

— Où vous êtes ?

— Ici, répondit Lulu, qui se leva après avoir éteint l'ordinateur. T'en fais pas, me dit-elle. Ça ne veut rien dire. Attends de voir la suite. Tu es rentrée et lui est toujours là-bas, tout seul. Il va te faire signe, j'en suis sûre.

Je restai un peu à flâner dans mon bureau. Une pile de courrier attira mon attention. Je reconnus les enveloppes : avis de taxes, factures de gaz propane et d'huile, facture d'électricité, facture pour l'entretien du jardin, facture du déneigeur de l'hiver dernier, circulaires, circulaires, circulaires, facture de monsieur Piscine. Je mis tous les petits journaux locaux et les réclames dans la poubelle de récupération et je fis des piles avec le reste ; d'un côté les factures à régler, de l'autre les chèques des maisons d'édition pour lesquelles j'avais travaillé avant mon départ. Il y avait une pile plus grosse que l'autre, mais pas celle que j'aurais voulu.

13

J'étais toujours pendue au téléphone, attendant que quelqu'un veuille bien me délivrer en mettant fin à cet intermède musical sirupeux qui faisait des ravages collants dans mon cerveau et m'obligeait à pencher la tête de côté pour maintenir le combiné entre mon oreille et mon épaule. Un élancement pénible dans l'omoplate eut raison de ma patience. Je reposai le combiné sur son socle avec rage.

— Haaaaa ! Ils vont me rendre folle.

— Ça va ? me demanda Allison, qui apparut dans le cadre de la porte de mon bureau.

Elle était revenue en fin d'après-midi à la maison jaune pour chercher le reste de ses affaires. Lulu était déjà retournée à la « base », comme elle avait l'habitude de dire.

— Je ne tombe que sur des mises en attente ou des boîtes vocales. Ça avance vite dans ce temps-là, lançai-je d'un air dépité.

— Et si on se faisait un petit café ? suggéra-t-elle. Glacé, de préférence…

Je trouvai que c'était une fichue bonne idée. C'était le moment de l'après-midi où je me serais endormie n'importe où. Même roulée en petite boule sous ma table de travail. Je me sentais tout à fait comme cela, d'ailleurs. Une toute petite chose inutile et complètement perdue. Tandis qu'Allison sortait les tasses de l'armoire, je m'affairai à la machine à café.

— Au fait, les petites cuillères sont rendues où ? dis-je à ma copine. Je les ai cherchées ce matin. Y a aussi le bidule pour mousser le lait, j'ai viré la cuisine à l'envers. Aucune idée où tu as pu le ranger.

Elle n'eut même pas à chercher ce que je lui demandais. Elle ouvrit une armoire et me présenta un verre contenant les cuillères à café et mit la main sur l'appareil à mousser, camouflé derrière la cafetière.

— Plus pratique comme ça, déclara-t-elle, laconique. Jules aussi trouve ça.

« Ah bon ! pensai-je. Si Jules aussi trouve ça plus pratique, ça doit l'être ! » Je n'étais pas au bout de mes peines avec tous les objets qui avaient été rangés à « leur véritable place » dans ma maison, grâce aux bons soins du couple Allison et Jules. Enfin ! Ça doit être ça quand on prête sa maison à des gens ; ils s'installent, comme on le leur a suggéré, un peu comme s'ils emménageaient pour une plus longue période que prévu. Je m'entends encore leur dire, avec insistance, en plus : « Faites comme chez vous ! » Et c'est ce qu'ils ont fait. Ils ont pris leurs habitudes. Ils ont déplacé tout ce qu'ils considéraient être à la mauvaise place.

Et à cause de ça, j'avais passé l'avant-midi à jeter les détritus sur les produits nettoyants placés sous l'évier sans m'en rendre compte avant de réaliser que la poubelle habituellement fixée à la porte gauche de l'armoire l'était maintenant à celle de droite.

Depuis mon arrivée, je me sentais étrangère dans ma maison. D'abord, elle me semblait beaucoup trop grande. C'est fou, cette impression que l'on a lorsqu'on a séjourné dans un autre lieu et qu'on tente de retrouver ses repères. J'en étais là avec ma maison, qui m'apparaissait gigantesque depuis que j'avais connu un certain réconfort dans la petite demeure de Massimo. Dans cette maisonnette, tout m'avait paru à portée de main. Tandis qu'ici… Mais j'avais des problèmes plus pressants que de me réhabituer à mon environnement.

— Tu as trouvé les gens qu'il te faut ? me demanda Allison en savourant son café.

— Non. Personne encore. Tout le monde doit me rappeler. Plus ça change, plus c'est pareil.

J'ouvrais tour à tour toutes les portes d'armoires de la cuisine. Allison vint à mon secours.

— Qu'est-ce que tu cherches ?

— Le sucrier.

Elle me montra une étagère où trônait le sucrier blanc, comme si c'était la place la plus logique pour lui. « Ah bon ! me dis-je. Je ne dois pas être capable de tenir une maison puisque tout semble maintenant avoir un meilleur emplacement. »

Je sentais la fatigue me rentrer dans le corps. Je n'avais pas beaucoup dormi et le message de Bernardo, de style télégraphique, que j'avais découvert sur ma boîte vocale m'avait laissée sur ma faim.

« *Cara.* Tu es bien arrivée ? Tant mieux. *Ciao !* »

On était loin de la chaleur et de la sensualité italiennes auxquelles cet homme m'avait habituée. J'avais l'impression que ma vie bougeait dans tous les sens. Difficile de m'y retrouver.

Tout en sirotant mon café, avec le sucre enfin retrouvé, je vis sur le comptoir de la cuisine le voyant lumineux du téléphone qui clignotait, comme pour me rappeler à l'ordre.

Allison rinça sa tasse, la déposa dans l'évier et s'éclipsa aussi rapidement qu'elle était venue.

— Ça te va si je reviens demain ? Il reste deux cartons dans la chambre d'amis. Il n'y a plus de place dans ma voiture.

— Oui, oui.

Je faillis lui dire de faire comme chez elle, mais je me repris à temps et lui suggérai plutôt de faire comme elle voulait. Je n'allais quand même pas l'accabler avec mes problèmes de repères, elle qui avait si bien pris soin de ma maison, qui avait été obligée de colmater les brèches dans la cave, même si tout était chamboulé ici. C'est le risque que l'on prend quand on s'éloigne. C'est quoi déjà, la maxime ? Ah oui ! *Les absents ont toujours tort !*

Les chats vinrent se coller contre ses jambes en me regardant droit dans les yeux, me narguant d'un air hautain : « Nananan ! C'est elle qu'on aime, pas toi. »

J'avalai d'un trait le reste de mon café pour me donner un peu de courage et pris le combiné du téléphone, espérant que quelqu'un viendrait à mon secours.

La femme du plombier, fort gentille d'ailleurs, m'annonça que son mari me rappellerait ou qu'il passerait lorsqu'il aurait fini un travail dans le village voisin. « On sait ce que ça veut dire, ça : demain, après-demain ou jamais », me dis-je. Pauvre femme. Elle n'en avait pas marre de faire ce type de mensonge pieux chaque fois que quelqu'un réclamait les services de son homme ? Peut-être s'était-elle habituée à ces réponses toutes faites qui rassurent le client et lui donnent un brin d'espoir, puisque son plombier de mari n'était jamais disponible. L'autre message était plus prometteur. L'émondeur, qui avait eu Jules au bout du fil et qui devait couper le grand sapin près de la maison, viendrait le lendemain. Et, comme il me l'expliquait dans la boîte vocale, cet arbre était sûrement la cause des refoulements d'égout dans la cave puisqu'on avait trouvé des bouts de racines coincés dans les tuyaux. « Pourvu qu'il dise vrai », songeai-je.

Je ne savais plus quel saint invoquer pour qu'on me vienne en aide. Quand j'étais enfant, j'avais une tante qui connaissait la fonction spécifique de chaque saint et qui les priait selon la faveur à obtenir : elle priait saint Laurent contre les lumbagos, saint George, c'était contre l'épilepsie, je crois. Sainte Anne s'occupait, si mes souvenirs sont bons, de stérilité, tandis que saint Christophe nous protégeait lors des trajets en voiture. Sainte Brigitte nous assurait une place pour nous garer, tandis que saint Antoine de Padoue nous permettait de retrouver sur-le-champ tout ce qu'on avait égaré : clés, lunettes, porte-monnaie, etc. Elle parlait également d'un saint que je ne connaissais pas, qui avait été décapité et qui, de là-haut, se chargeait des maux de tête. Pas rassurant, tout ça. Aujourd'hui, je trouve plutôt drôles toutes ces croyances. Mais, au point où j'en étais, je ne savais vraiment plus vers quel saint du ciel me tourner. J'aurais peut-être dû invoquer saint Antoine de Padoue pour retrouver la paix perdue depuis cette mésaventure. Mais ces saintes personnes ne pouvaient rien faire pour moi. En vérifiant dans mes souvenirs, je n'en trouvai aucune qui fût responsable des égouts récalcitrants. Il ne me restait plus, croyais-je, qu'à supplier saint Jude, le saint des causes désespérées, de venir à ma rescousse.

J'étais devant le beau grand sapin bleu. Je trouvais tellement triste de devoir le couper, même si ce n'était pas le premier arbre que j'avais à éliminer sur le terrain. C'est aussi ça, vivre à la campagne. Qui dit arbres dit branches qui tombent, racines qui se faufilent sous terre et font des ravages…

Un dernier message, plus personnel celui-là, me fit plaisir. Mon ami François passerait en fin de journée me faire un coucou après le travail. J'allais tout apprendre de son voyage en Chine et peut-être aussi aurais-je la joie de voir enfin la merveille des merveilles : le petit Miro qu'Albert et lui venaient d'adopter. Par contre, la fin de son message me surprit :

il avait une petite voix tristounette qui ne me disait rien qui vaille.

14

Nous nous sommes serrés tendrement dans nos bras. Enfin, il serait plus juste de dire que j'ai collé ma joue sur le grand torse de François. Celui-ci, trop grand pour ma petite taille, était penché vers moi, son menton en appui sur ma tête.

J'étais tellement contente de le voir ! Et lui aussi, en apparence. Je pris un peu de distance pour l'observer. Ce grand timide m'apparut amaigri et épuisé. Revenir d'un voyage de l'autre côté de la planète apporte habituellement son lot de fatigue ; sans compter les émotions de toutes sortes qu'il avait dû vivre, puisqu'il n'avait pas été facile de mener à bien l'adoption de Miro, qui était le but de ce voyage en terre chinoise. Mais en regardant de plus près dans ses yeux si doux, je réalisai qu'il y avait quelque chose de plus. Je n'eus pas à attendre pour en savoir davantage. Ses yeux s'embuèrent d'un coup et de grosses larmes d'un chagrin longtemps retenu coulèrent sur ses joues. Ce grand garçon trop sensible m'arrachait le cœur. Je ne savais pas par quelle question commencer. Elles étaient toutes là, à la porte de mes lèvres, à attendre que je me décide à les formuler. Comment ça s'est passé ? Et Miro, aussi joyeux que sur les photos qu'il m'avait envoyées ? Et Albert ? Et la Chine ?

J'attendis qu'il calme ses pleurs.

— Tout a mal tourné, réussit-il à prononcer tandis que je lui servais un verre de vin.

Il s'était assis sur un tabouret devant l'îlot central. Je fis de même en poussant devant lui un petit verre de rouge, comme il aimait. Mais il n'y toucha pas. Son regard était perdu au loin. Très loin. Derrière une certaine muraille, je crois.

Maxou profita de ce moment pour grimper sur la surface de céramique à deux pas de son visage.

— Maxou ! s'écria François. Comment tu vas, ma grosse patate ?

La vue soudaine du gros chat roux l'attendrit ; et ses larmes reprirent de plus belle. Maxou s'approcha à quelques centimètres de son nez et entreprit de lécher de sa langue rugueuse les larmes qui coulaient en abondance sur les joues et le menton de François.

Nous éclatâmes de rire devant l'audace de mon chat. Il faut savoir que ce gros patapouf est un grand amateur d'eau. Mais pas de celle qu'on lui présente dans son bol ; il préfère de beaucoup l'eau qui coule des robinets, du tuyau d'arrosage et des gouttières, celle qui tombe du ciel, qu'elle lui apparaisse sous forme de pluie ou même de neige, et ce jour-là, semblait-il, l'eau qui coulait des yeux sous forme de larmes lui plaisait tout autant.

François le prit dans ses bras et lui rendit, à coups de caresses, sa mansuétude à la fois délicate et rugueuse.

— On n'a pas pu ramener Miro. Et Albert est encore en Chine.

— Quoi ? criai-je presque, ce qui effraya Maxou et le fit déguerpir aussitôt.

Décidément, je ne faisais rien pour favoriser mes retrouvailles avec mes minous. Je revins à François, qui n'en menait pas large.

— Qu'est-ce qui s'est passé ? L'adoption n'a pas eu lieu ? Pourtant, ton dossier était complet…

François m'arrêta dans mon élan et remplit les cases vides de mon questionnaire. Dès le début, ils avaient rencontré des difficultés ; d'abord, il y avait eu cette femme qui en pinçait pour lui avant de comprendre qu'il n'était pas de son allégeance sexuelle. Elle avait finalement donné l'aval à son projet d'adoption. Quelques jours avant leur départ, François et Albert avaient appris que les résultats d'un test de dépistage du VIH chez le petit Miro étaient positifs.

— Il n'est pas rare que les tests du VIH, de l'hépatite ou de la syphilis donnent des résultats inexacts, précisa François. Mais il y a également des faux positifs, qu'on appelle dans le jargon du milieu de l'adoption des « résultats aux conclusions erronées ». Difficile de savoir à qui et à quoi se fier. À l'agence, on nous a recommandé de demander un autre test. Ce qu'on a fait. Il n'y avait pas beaucoup de chances que les nouveaux résultats nous parviennent avant la date du départ. On a pris le risque de partir sans connaître le résultat final. Te dire comment on était anxieux ! Heureusement, à notre arrivée, on a appris que le nouveau test était négatif. On se croyait enfin à l'abri des mauvaises nouvelles.

François me décrivit le long voyage jusqu'à Pékin. L'excitation et la fatigue mêlées à la peur d'avoir encore de mauvaises surprises. Ils étaient six parents qui venaient adopter dans le même orphelinat. Aussitôt arrivés, ils ont été pris en charge par un guide accompagnateur qui parlait le mandarin et le français. Il est resté avec eux jusqu'à la fin des procédures.

— On a repris un autre avion en direction d'une petite ville dans la province du Hunan, où l'adoption devait avoir lieu. On était tellement fatigués ! En plus des vingt heures d'avion, il y a les treize heures de décalage. Et ça brassait dans l'avion. Mais ça brassait aussi en nous. On n'a rien pu avaler et on n'a presque pas fermé l'œil.

— Ça ressemble beaucoup à un accouchement, ça !

François m'a souri.

— Une fois à l'hôtel, on a été séparés ; t'aurais dû nous voir courir d'une chambre à l'autre pour nous rassurer mutuellement !

— Comment ça ? m'étonnai-je. Juste parce que vous êtes gais ?

François me raconta que, au départ, c'était la mère de François qui devait agir comme partenaire d'adoption, mais vu son âge avancé et les vingt heures de vol, elle s'était désistée à la toute dernière minute et Albert avait pris sa place. Et lorsque les responsables de l'agence d'adoption avaient découvert qu'il partait chercher Miro accompagné de son chum, on lui avait fortement suggéré de réserver deux chambres.

— Faut pas oublier qu'on est en Chine ! Et si nous on l'oublie, eux se font rapidement un devoir de nous le rappeler. En plus, ils ne nous avaient pas mis sur le même étage. On a bien essayé de changer la situation, mais l'hôtel était complet. Tu aurais dû nous voir. Albert prenait les escaliers tandis que j'utilisais l'ascenseur pour le rejoindre. Les gens à l'hôtel ont dû se demander à quel jeu on jouait. Deux vrais fous qui se couraient après dans les corridors et qui se manquaient. Ça nous a au moins permis de rire un bon coup. Ça a fait tomber la pression.

Le lendemain, c'était le jour de la première rencontre. Le *Gotcha day*, comme m'a précisé François. Le jour J.

Et puis son ton changea. Je ne l'avais jamais vu si ému ; il y avait des tremblements dans sa voix.

— Il était tellement calme, ce petit. Des grands yeux qui lui mangeaient tout le visage. Deux billes noires qui nous fixaient intensément. Plusieurs bébés pleuraient, Miro nous regardait tour à tour sans rien dire, sans pleurer, sans...

Je saisis les belles mains de François, qu'il a longues et fines. Il portait au poignet un petit bracelet de cordes rouges.

— Un souvenir? m'informai-je.

— C'est une sorte de fil invisible, me précisa-t-il. Albert et Miro en ont un aussi. C'est ça qui relie ceux qui sont destinés à se rencontrer, indépendamment du temps, de l'endroit ou des circonstances; le fil rouge peut s'étirer ou s'emmêler, il ne cassera jamais.

À chacun son cordon ombilical; rouge, transparent, ça demeure un lien indestructible.

Tandis que François poursuivait le récit de ses aventures en Chine, pays qu'il n'avait absolument pas visité ou si peu, je préparai une salade avec du poulet cuit la veille. On mangea peu et sans grand appétit. Un autre verre de vin nous fit le plus grand bien. Nous étions tous les deux victimes du décalage. Mais je ne me voyais pas, malgré ma fatigue, demander à François d'abréger son récit pour que je puisse me coucher. Le téléphone avait sonné à deux reprises et je n'avais pas osé répondre. Je m'occuperais de ça avant d'aller au lit.

Ce que je réussis à comprendre par la suite dans les propos parfois émus de mon ami, c'est que Miro leur fut confié durant vingt-quatre heures. « Sous surveillance. » C'est un moment alloué aux futurs parents au cas où ils voudraient changer d'idée. Peu le font, semble-t-il, mais ça arrive. François m'apprit qu'un couple du groupe avait accepté d'adopter un enfant qu'on appelle « à soins spécifiques ». Il avait une fente labiale et palatine. Une sorte de bec de lièvre. Je me demandai si, moi, j'aurais eu ce courage. Ça devait exiger une telle force de caractère ! L'enfant que l'on met au monde n'est pas à l'abri de complications de naissance, on s'habitue, c'est le nôtre, on ne peut faire autrement. Mais aller en chercher un en sachant ce qui nous attend ! Je me rappelai tout à coup Teo, le jeune garçon qui m'avait prise dans ses bras à l'aéroport de Fiumicino, à Rome, et qui me suppliait de ne pas pleurer. Il ne faut pas seulement du courage pour s'occuper de ces enfants-là, il faut beaucoup d'amour. Est-ce que j'en aurais eu suffisamment ? Je n'arrivais pas à répondre à cette question.

François, qui s'était tu sous l'effet de sa propre fatigue, reprit la narration de ses aventures dans les méandres de l'administration chinoise : papiers officiels, passeports, prise de photos.

— Tout ce temps-là, Miro restait calme, semblait n'avoir ni faim ni soif. On m'avait prévenu que les enfants chinois sont normalement pris en charge par des nounous et sont très rarement en contact avec des hommes. J'avais un peu peur de sa réaction.

— Il était comment ? demandai-je.

— Il se cachait dans mon cou comme si c'était la seule place au monde où il désirait être.

François prit une longue inspiration avant de continuer.

— Quand tout a été signé, Miro était officiellement mon fils. Notre fils. J'aurais pleuré comme un grand idiot. Albert ne valait pas mieux, tu le connais. On passait du rire aux larmes en quelques secondes. Tu aurais dû nous voir. On avait le sourire fendu jusqu'aux oreilles, on était secoués par des rires nerveux. Puis comme Miro semblait vouloir dormir, on est retournés à l'hôtel pour prendre un peu de repos. La première nuit a été difficile. Miro dormait avec des soubresauts. Moi, je suis resté presque toute la nuit à le regarder. Chacun des petits bruits qu'il faisait avec sa bouche me faisait sursauter. Je ne savais pas si c'était normal ou pas. Je n'ai pas l'habitude des petits bébés. J'ai bien gardé mes neveux et nièces, mais ils étaient beaucoup plus grands. Je résistais au sommeil. J'avais peur de me réveiller et qu'il ne soit plus là. Je n'en revenais pas, un si petit corps à côté du mien, si grand. Il dormait dans ma chambre et Albert, lui, fatiguait dans la sienne.

François rit au souvenir de ce moment.

— Pauvre Albert. Il ne lui reste plus d'ongles tellement il les a rongés. Et il n'osait pas téléphoner à la chambre de peur de réveiller le petit. Lorsqu'il venait cogner à ma porte, moi je n'osais pas aller répondre pour ne pas déranger Miro. On se rassurait mutuellement de chaque côté de la porte. Albert parlait fort pour être certain que je l'entende bien, et moi je chuchotais. Une vraie scène de cinéma. Du Laurel et Hardy en Chine!

Je souris à l'évocation du chum de François, mon ami Albert, que je reconnaissais bien là, avec toute sa sensibilité. Je n'étais pas près d'oublier la mort de Bouboulina. Albert et moi avions versé plus d'une larme ensemble.

Les jours suivants ont été beaucoup plus difficiles. Tandis que les autres parents et leur guide découvraient à la fois leur enfant et les alentours, Albert et François ont dû rester à l'hôtel: Miro souffrant de fortes fièvres, leur guide leur suggéra fortement de l'emmener à l'hôpital.

— C'est à partir de ce moment-là que tout s'est compliqué. On était seuls, personne ne parlait français. Finalement, un médecin qui baragouinait un anglais à peine compréhensible nous a révélé que Miro avait une pneumonie sévère.

« Il avait l'air tellement lamentable dans son petit lit. La fièvre ne baissait pas. On restait chacun notre tour près de lui pour le bercer. L'un de nous allait manger ou dormir et l'autre prenait la relève. Tout le monde a été gentil avec nous. Ils riaient beaucoup en nous voyant. Deux gars qui s'occupent d'un enfant, ce n'est pas très courant en Chine. Mais en plus, un homme de ma taille. Des grands comme moi, ils n'en voient pas souvent. Le personnel soignant riait tout le temps en me montrant du doigt.

Bien qu'ils aient reçu tous les papiers officiels, passeports, visas de sortie, il n'était pas question que François et Albert repartent avec Miro malade. La décision s'est imposée d'elle-même. Albert pouvait se permettre de rester au chevet du petit. Les profs sont en congé l'été. Mais François devait rentrer. Les choses allaient déjà mal à son travail avant son départ. Il est donc revenu seul.

— Et ça a été la croix et la bannière pour obtenir une procuration pour qu'Albert puisse le ramener à Montréal lorsque Miro irait mieux. Une chance que le guide était là pour nous aider. Tout seuls, on n'y serait jamais arrivés.

— Comment il va maintenant ? demandai-je, inquiète de la réponse.

— Mieux. De jour en jour, ça s'améliore. Mais il faut attendre encore un peu avant de le sortir du pays. Quelques jours ? Une semaine ? Difficile à dire. Pour moi, c'est une torture. Je dors mal, je travaille mal. Je n'ai qu'une envie : être avec eux.

— Au moins, fis-je remarquer, ces deux-là vont avoir le temps de s'apprivoiser. Tout ce retard, c'est peut-être un mal pour un bien.

— Albert a déjà appris des tas de mots chinois. Tu le connais. Chaque fois qu'il voyage, il faut qu'il s'initie aux mots d'usage, aux politesses. Cette fois-ci, il fait fort. Le mandarin, ce n'est pas évident. Mais de cette façon, il peut communiquer encore mieux avec le personnel de l'hôpital, et surtout avec Miro. Je sens que je vais devoir mettre les bouchées doubles pour reprendre mon droit de père ! Ça me donne aussi le temps d'apprendre à changer des couches de la bonne façon. Les premiers jours, je ne sais pas comment je faisais mon compte, mais Miro se retrouvait mouillé jusqu'au cou.

Il rit au souvenir de cet épisode. Je l'accompagnai en lui rappelant que tous les parents font des maladresses semblables. Le nouveau papa sortit son iPod et me montra fièrement les photos de son petit. Sur les premières images, je découvrais un jeune malade tout pâle, mais les plus récentes dévoilaient un petit gaillard aux joues rouges encore fiévreuses, certes, mais aux yeux brillants, avec un large sourire. Il m'en laissa une, qu'il avait imprimée expressément pour moi et que je plaçai aussitôt sur la porte du réfrigérateur, retenue par une petite grenouille. Une grenouille aimantée qui en soutient une autre, tellement désirée.

15

On réalisa finalement qu'il se faisait tard. François quitta la maison jaune. Avant d'aller au lit, il voulait se brancher sur Skype pour son rendez-vous journalier avec Albert qui, à cette heure, se trouvait encore à l'hôtel, s'apprêtant à partir pour l'hôpital. Je rangeai un peu la cuisine, puis j'appelai les chats comme j'avais l'habitude de le faire avant mon voyage. Pour la première fois depuis mon retour, ils me suivirent dans la chambre. Je me préparai pour la nuit, toilette, jaquette, tandis que Maxou et Rosie retrouvaient leur place habituelle. Mon gros chat roux à la tête du lit, sur le traversin, une patte allongée qu'il poserait sur mon front, et la petite à mes pieds, sur la couverture moelleuse, dans l'attente de mon pied pour y appuyer son menton. Ils étaient à nouveau prêts à m'aimer, de la tête aux pieds. Mon temps de pénitence semblait être fini. Puis je me souvins des appels dans la boîte vocale. Et si Bernardo avait téléphoné ? À l'évocation de son prénom, mon cœur changea de rythme. Six heures de décalage nous séparaient, mais j'avais le sentiment qu'une autre forme de décalage s'était insinuée entre nous. Tant que j'étais en Italie, nous étions assez près l'un de l'autre, mais maintenant j'étais arrivée ici, nous n'étions plus sur la même longueur d'onde. J'eus l'envie soudaine de placer ma bouche contre la sienne, à défaut de quoi je me serais bien contentée de sa voix au bout du fil. Je consultai l'heure. Je ne pouvais quand même pas appeler en pleine nuit à Pitigliano. Un plan pour que la belle-sœur songe à venir m'arracher les yeux au Québec. Mais je le ferais sans faute dès le matin, me promis-je. Il me manquait trop. Je vérifiai quand même la messagerie vocale, au cas où. J'étirai le bras vers le sans-fil posé sur la table de nuit, en faisant bien attention de ne pas déranger mes chatons enfin retrouvés et confortablement installés pour la nuit. Quelques messages brefs. Les deux appels venaient de mon fils, qui m'annonçait, tout excité, sa visite pour le lendemain avec la petite Raphaëlle.

J'allais revoir ma *principessa*, ma princesse adorée. Je l'avais peu vue avant mon départ pour l'Italie. Marie, la blonde de Vincent, voulait vivre les premiers jours suivant la naissance de sa fille en symbiose avec son chum, ce que je comprenais tout à fait. L'autre famille aussi avait été tenue à l'écart. C'est si intime, une naissance, que lorsque les familles débarquent avec leurs guili-guili, leurs areu-areu, leurs cadeaux, leurs exclamations sur les ressemblances du poupon avec l'un ou l'autre, lorsque tout un chacun demande à le tenir dans ses bras, certains secouant le petit malgré les protestations des parents, à qui on offre cigares et propositions de prénoms, il ne reste alors plus beaucoup d'espace ni de silence pour la nouvelle petite famille. Mais les jours de retraite imposés par Marie s'étaient transformés en semaines et en mois. Il y avait vraiment longtemps que je n'avais pas vu le bébé. Je m'inquiétais pour Marie, que j'avais eue au bout du fil avant mon départ. Elle m'avait paru fragilisée et très fatiguée, puisqu'elle refusait l'aide qu'on pouvait lui apporter.

Puis avant de m'endormir, je songeai à François. Il me fendait le cœur avec son chagrin. Nous revenions tous lès deux d'un périple qui avait, semblait-il, marqué chacun de nous. François comptait maintenant dans sa vie un petit Miro qui avait déjà laissé l'empreinte de son odeur, de son petit nez et de son désir de vivre dans son cou de futur papa. Quant à moi, d'une part, j'avais une petite-fille qui ne demandait, elle aussi, qu'à être aimée par une grand-maman gâteau, si on lui en donnait l'occasion. D'autre part, j'avais désormais dans ma vie Bernardo, ce grand gaillard qui m'avait beaucoup troublée avec ses yeux rieurs, ses mains râpeuses à cause du travail, sa bouche avide de la mienne et sa façon si simple de voir la vie. Là encore, je n'aspirais qu'à jouer ce rôle d'amante, si Bernardo me le permettait. Je m'endormis comme si j'étais dans ses bras. Ma joue contre l'oreiller qui, pour l'occasion, faisait office d'épaule accueillante.

*

À l'aube, je réalisai que la vie avait repris son cours normal à la maison jaune lorsque j'entendis par la fenêtre entrouverte l'arrivée intempestive d'un gros camion.

Presque aussitôt suivie de la sonnette de la porte, qui résonnait à répétition. Je me dépêchai d'enfiler mon jeans ; je n'avais pas du tout envie qu'on me surprenne les culottes baissées. Déjà que ce qui m'attendait n'avait rien de folichon.

Je descendis au pas de course afin d'ouvrir au visiteur avant qu'il ne casse la vitre de la porte dans laquelle il tambourinait allègrement, la réponse n'étant pas assez rapide à son goût. J'avais beau crier que j'arrivais, tout en boutonnant mon chemisier, il continuait de marteler la vitre de sa grosse patte en variant ses plaisirs puisque, entre les coups, il actionnait également le bouton de la sonnette. « Bon ! Un pressé », me dis-je, sans savoir encore qui je trouverais de l'autre côté de la porte.

Et des ouvriers empressés, dès l'aube, à venir exécuter les réparations à domicile, c'est plutôt exceptionnel. On ne laisse pas moisir cette denrée rare sur le pas de la porte. J'ouvris, un grand sourire aux lèvres.

— Bonjour, ma p'tite madame ! Paraît que ça presse. Si vous avez besoin de couper un arbre, je suis votre homme.

On en était encore là ! Je croyais en avoir fini avec ce déprimant vocable. Comment faire comprendre à l'ouvrier spécialisé que je ne suis pas une « petite madame », que je ne l'ai jamais été et ne le serai jamais ? Mon sourire disparut d'un coup. Et pour corriger la chose, je me présentai :

— Je m'appelle Olivia Lamoureux.

— Bonjour, p'tite madame. Moi, c'est Joseph Letendre. Ouin, ben... Le tendre et l'amoureux, ça devrait bien s'entendre, hein ?

— Oui, c'est sûr, répliquai-je, comprenant qu'il était inutile de chercher à réviser son vocabulaire macho, trop bien ancré pour qu'on puisse espérer un changement.

J'expliquai donc la situation au « petit monsieur ».

— Il y a eu des retours d'égout dans la cave et le plombier est convaincu que c'est à cause des racines du sapin bleu qui ont poussé à travers les tuyaux.

— On va regarder ça, me dit-il.

On se rendit au pied d'un magnifique sapin parfaitement sain qui semblait être la cause de tous ces dégâts.

— Je ne peux pas croire qu'on va devoir l'abattre, soupirai-je.

J'en avais le cœur brisé. Devant mon air triste, Joseph Letendre, qui portait très mal son nom, me déclara que, les arbres, ça repoussait. Puis dans un grand rire il ajouta, comme si j'étais totalement ignorante, que c'est comme les cheveux et les ongles : ça repousse. Coudonc ! Est-ce qu'il me prenait pour une tarée ? Je pense surtout qu'il me prenait pour une femme. Et c'est bien connu, une femme, ça ne connaît rien. J'eus envie de le mordre.

— C'est sûr que ça repousse, répliquai-je entre mes dents, mais quand il aura à nouveau cette dimension, je ne serai plus là pour le voir.

— Ah ! Ça, c'est sûr. Ça pousse assez vite, mais faut pas trop en demander à la nature.

— Effectivement, approuvai-je, on ne peut pas trop en demander à la nature.

« … masculine ! » conclus-je pour moi-même.

16

L'émondeur se mit à dégager la terre tout autour du sapin à l'aide d'une pelle, tandis que je prenais les premières gorgées de mon café au lait. Il creusa assez profondément, jusqu'à ce que l'on découvre des tuyaux d'égout perforés par les racines. Il fallait donc abattre ce bel arbre qui me servait depuis quelques années de sapin de Noël extérieur. Je n'en installais plus à l'intérieur depuis que Bouboulina, accrochée aux branches du haut, avait fait basculer l'arbre au complet un matin de Noël, cassant du même coup la plupart des boules et des décorations.

Lorsque M. Letendre sortit sa scie mécanique et l'actionna, le bruit s'enfonça dans ma chair et me déchira le cœur. Au cours des ans, chaque fois que j'avais eu à abattre un arbre parce qu'il était malade, infesté de fourmis ou qu'il mettait en danger un des bâtiments aux alentours, j'avais ressenti le même serrement dans la poitrine.

J'assistais, impuissante, à cette exécution. J'étais concentrée sur les entailles que l'émondeur faisait dans le tronc lorsque je sentis une main sur mon épaule. Je bondis et crus que j'allais avoir une crise cardiaque. Je me retournai avec des yeux affolés.

Mon fils se tenait devant moi. Je l'engueulai presque.

— Tu m'as fait peur !

— Bel accueil, marmonna Vincent.

Je ne l'avais pas entendu arriver avec tout ce bruit.

M. Letendre, qui avait été témoin de ma frayeur, riait à gorge déployée tout en répétant : « Est nerveuse, la p'tite madame ! » Je respirai profondément pour me calmer. Levant les yeux, je découvris la voiture dans l'allée. Marie m'envoya la main. Vincent me criait dans les oreilles.

— Pourquoi tu fais abattre ce sapin ? Il est parfaitement sain.

Je lui hurlai à mon tour que je le savais et trouvais ça terrible, mais que je n'avais pas le choix. Je le pris par la manche et l'entraînai vers la maison, où nous serions un peu plus tranquilles.

Je lui expliquai la situation tout en lorgnant du côté de la voiture. Je mourais d'envie de voir le bébé. Vincent était aussi peiné que moi. Il est rare qu'un paysagiste se réjouisse de la perte d'un arbre.

— Vous avez amené Raphaëlle ?

Vincent pointa sa main en direction de Marie, qui s'affairait à dégager la petite de son siège d'auto. Je m'approchai tout excitée de revoir enfin ma petite-fille. Vincent me retint par le bras.

— Maman ! Je t'en supplie, ne la réveille pas. Elle vient juste de s'endormir. Elle a hurlé pendant tout le trajet.

Je regardai Raphaëlle, qui dormait paisiblement, ses petites mains rassemblées sur sa joue, mais je connaissais la fragilité du sommeil des bébés pour y avoir goûté, moi-même, avec mon petit Vincent devenu grand et papa maintenant.

Vincent se chargea des bagages tandis que j'allai ouvrir la porte de la maison à Marie. Heureusement, la scie de M. Letendre s'était éteinte pour quelques instants. Ce dernier farfouillait dans son camion à la recherche de cordes.

Je m'empressai de fermer la porte dernière nous, ainsi que les fenêtres de la cuisine, pour prolonger le sommeil du bébé.

Marie se dirigea à l'étage, vers la chambre d'amis. Celle-ci étant située juste au-dessus de l'endroit où se trouvait le sapin qu'on s'apprêtait à abattre, je proposai plutôt à ma belle-fille, en chuchotant, de coucher Raphaëlle dans ma chambre, du moins le temps que le bruit cesse à l'extérieur. Elle accepta. Elle n'enleva même pas les bottines de la petite de peur de la réveiller et s'allongea aussitôt à côté d'elle. C'est à ce moment seulement que je remarquai à quel point Marie avait maigri. Elle avait d'énormes cernes bleus sous les yeux, et les joues blafardes.

*

Je fis un peu de rangement dans la chambre d'amis, préparai le lit pour mes visiteurs et plaçai des serviettes dans la salle de bain. Je descendis les deux boîtes laissées par Allison et les mis dans le placard du rez-de-chaussée. J'avais entendu Vincent sortir par la porte de la terrasse; je me doutais bien qu'il était allé vérifier mes dires au sujet du sapin. J'en profitai pour remonter au premier sur la pointe des pieds pour voir si Marie n'avait besoin de rien. Je la découvris profondément endormie près de Raphaëlle. Elles semblaient aussi fragiles l'une que l'autre. Je me demandai qui protégerait l'autre des éventuels dangers de la vie. Une vague de souvenirs me submergea; je me revis avec Vincent tout petit, lorsque lui aussi refusait de dormir. Je revécus des nuits d'insomnie où il se plaignait de maux d'oreilles et que j'étais impuissante à le calmer. « Être mère, me dis-je, c'est pour la vie. » Je fermai bien la porte de la chambre pour que les chats ne viennent pas les déranger et redescendis sans faire de bruit. Je trouvai Vincent dans la cuisine. Il avait fini son tour du jardin. Visite qu'il ne manquait jamais de faire lorsqu'il arrivait à la maison jaune. Il vérifiait systématiquement les transformations que j'avais apportées aux platebandes, prenait note des changements à faire, dressait une liste des améliorations possibles. Mais pas cette fois-ci. Je sentis qu'il ne serait pas question de jardinage ce jour-là. Il semblait soucieux, fatigué lui aussi et inquiet, même. Je lui proposai de prendre tranquillement un café et de jaser puisque les deux femmes de sa vie dormaient à poings fermés. Pour toute réponse, il me regarda, le visage défait, et me fit cette déclaration soudaine :

— Maman ! Je ne sais plus quoi faire.

J'observai mon grand, tout à fait en peine, et je m'empressai de préparer les boissons. Je versai la sienne dans son bol préféré. Il le prit entre ses mains comme pour y chercher un peu de chaleur. Mais j'avais l'impression que son geste servait davantage à mettre un peu de baume sur sa détresse qu'à réchauffer ses doigts. Je me dirigeai vers la loggia qui me servait de bureau. Vincent choisit de s'installer dans le récamier et allongea ses grandes jambes. Il buvait à petites gorgées tandis que je m'assoyais dans le fauteuil qui lui faisait face.

— Qu'est-ce qu'il y a, Vincent ? C'est ton travail ?

Il me lança un regard étonné par-dessus son bol de café, qu'il sirotait doucement.

J'avais toujours su reconnaître, par intuition, ce qui survenait dans la vie de mon fils juste en l'examinant, depuis qu'il était tout petit ; je devinais, à l'instant même où il se trouvait devant moi, ce qui le troublait ou le rendait euphorique. Ça l'énervait au plus haut point. C'est vrai qu'il peut être assez fatigant d'avoir une mère qui possède des dons de sorcière, qui sait, en vous jetant un simple coup d'œil, si vous venez de prendre des biscuits dans le garde-manger, si vous avez fait l'école buissonnière dans l'après-midi, si vous avez fumé en cachette ou encore si vous venez tout juste d'embrasser une fille. Et ce, avant même que vous ne manifestiez le moindre signe. Mais là, je dois dire que j'étais complètement dans le cirage. Je n'avais absolument pas vu venir ce qu'il allait me dire.

— Ça ne va plus du tout. Marie…

— Quoi ? Entre Marie et toi ? demandai-je, soucieuse.

— C'est surtout à cause du bébé. Marie est tout le temps fatiguée, elle pleure pour la moindre peccadille et ne veut pas que je l'aide. Et si je le fais quand même, ce n'est jamais de la bonne façon. En plus, elle refait tout derrière moi et, pour finir, elle se plaint qu'elle est la seule à tout faire depuis la naissance de Raphaëlle. Je ne sais plus par quel bout la prendre. Je suis toujours amoureux fou d'elle, mais il n'y a plus rien comme avant. Je ne la reconnais plus. Et je suis sûr que Raphaëlle sent cette tension entre nous. C'est pourquoi elle pleure tout le temps. Je fais quoi, moi, avec tout ça ? Je me mets à pleurer, moi aussi ?

Il était vraiment à bout de nerfs, mais je sus avec sa dernière réplique qu'il avait encore et toujours son sens de l'humour. Une bonne chose si on veut sortir indemne des situations difficiles. Il prit une grande inspiration pour calmer la vague qui montait, me sourit et continua sur sa lancée.

— Marie est tellement nerveuse avec la petite. Elle accourt au moindre gémissement, s'inquiète tout le temps. Et c'est rendu que je fais pareil. On ne voit plus nos amis, on ne mange plus, on ne dort plus, et pour les câlins… Je n'ose même pas la toucher de peur qu'elle explose. Je suis prêt à attendre, c'est pas ça… J'ai juste peur de la perdre.

J'attendis que la déferlante cesse et je commençai par lui dire, le plus calmement possible, qu'un bébé, ça change vraiment une vie et que ça n'a plus rien à voir avec la vie d'avant. Les débuts ne sont jamais faciles, il faut s'adapter à la nouvelle situation. Après, c'est autre chose. Ce que l'on veut bien en faire. Une sorte de paradis ou un enfer.

— Je crois que Marie a besoin qu'on prenne soin et d'elle et du bébé.

— Mais elle ne veut pas d'aide. Elle refuse celle de ses amies, de sa mère et la mienne aussi.

— Elle a sûrement cru bien faire en créant cette bulle avec le bébé. C'était bien de se protéger un peu de l'entourage immédiat. Mais il ne faut pas fermer les portes à clé, non plus. Tu sais, les nouvelles mamans, la plupart en tout cas, veulent que tout soit parfait. Et elles oublient trop vite qu'elles ne peuvent y arriver toutes seules. Qu'il faut se réserver du temps pour soi-même, et avec son chum aussi.

Vincent m'écoutait religieusement. Au loin, on entendait la scie mécanique qui continuait ses ravages dans le tronc de l'arbre.

— Dans l'immédiat, qu'est-ce qu'on peut faire ?

— D'abord et avant tout, vous laisser aider pour pouvoir vous reposer.

— On fait ça comment, tu penses ?

— Qu'est-ce que vous diriez de souper et de dormir à la maison ? lui proposai-je avec enthousiasme. Tu as du travail urgent ?

Il fit signe que non tout en jonglant avec cette possibilité. Mais il objecta aussitôt que Marie n'accepterait sans doute pas.

— Je sais me faire persuasive quand c'est nécessaire. Ça n'aura pas l'air de quelque chose de forcé. Une simple invitation, pour une nuit.

J'ajoutai que je m'occuperais de tout. Ils n'auraient qu'à aller se promener, à dormir, à flâner, à se reposer sur le bord de la piscine.

— Et moi, je ferai enfin connaissance avec Raphaëlle. Puis, j'en sais un peu sur les bébés ! lançai-je. J'en ai eu un qui m'a donné pas mal de fil à retordre, alors je sais de quoi je parle.

— Comme ça, t'as déjà eu un enfant, toi ? plaisanta mon fils. J'aimerais bien le connaître. Ça doit être un drôle de numéro.

— T'as pas idée ! Si tu savais tout ce que j'ai dû endurer. Mais aujourd'hui, ça va mieux, je crois. Tu sais qu'il a un enfant. Une petite fille, et je trouve qu'il s'en sort plutôt bien.

Mon fils avait retrouvé le sourire. Cette invitation tombait pile.

— Il faut que ta fille s'habitue à moi si je veux qu'un jour elle m'appelle mamie.

— T'aimerais pas plutôt mémère ? Ou mémé ?

— Je vais t'en faire, moi, des mémés !

La sonnette retentit à répétition. Vincent se leva d'un bond. Il ne savait qu'être bruyant, ce M. Letendre.

— Ah non ! grogna Vincent. Il ne va pas me la réveiller !

La réponse à sa supplication ne tarda pas : le bébé se mit à hurler à pleins poumons.

17

Je discutai longuement avec M. Letendre, qui n'avait pas seulement coupé, mais également déraciné le sapin. Le tronc débité en plusieurs morceaux reposait dans sa remorque en compagnie des branches. Il y avait comme un trou dans le paysage environnant de la maison jaune.

— J'espère, me précisa l'émondeur, que vous ne le remplacerez pas. Pas à cet endroit-là, en tout cas. Les gens oublient que ça peut faire des ravages.

Et il m'emmena voir les dégâts qu'avaient causés les racines. Le sol qui avait abrité les pieds du sapin était entièrement retourné et des débris de tuyaux jonchaient le terre-plein jusqu'à l'entrée de la maison.

— Beau gâchis que vous avez là, ma p'tite dame ! Vous avez bien fait d'enlever l'arbre. Il ne vous reste plus qu'à remplacer la partie de la tuyauterie qui est brisée et le tour est joué. Ça date de Mathusalem, ces conduits-là. De nos jours, c'est fait plus solide. Ça tient plus longtemps. Je vous envoie ma facture.

Il s'en alla vers son camion en continuant de vanter les mérites des nouvelles canalisations.

Vincent m'attendait dans la cuisine, tenant Raphaëlle dans ses bras. Un beau bébé aux joues roses, prêtes à exploser, aux yeux vifs et brillants.

— Et Marie ? demandai-je.

— Elle ne s'est pas réveillée. Elle a des nuits et des nuits de sommeil à rattraper.

— Ça va lui faire du bien.

Puis je regardai ma petite-fille. J'étais aussi étonnée que Raphaëlle. « Je ne suis plus seulement mère, me répétai-je, incrédule, je suis devenue grand-mère ! » Comme la vie allait vite !

— Elle a les yeux de Marie, mais elle a ta bouche, dis-je à mon grand.

Il me tendit sa fille. Je m'approchai lentement pour ne pas brusquer la petite, qui semblait craintive.

— Elle n'est pas habituée à voir des gens. En fait, je pense qu'elle n'a rencontré qu'une ou deux personnes, à part nous, depuis sa naissance.

— On va y aller doucement, par petites bouchées, hein, ma belle ?

Raphaëlle accepta mes bras. Elle était fascinée par mes cheveux, que je n'avais pas attachés et qu'elle prenait par poignées et tirait allègrement entre ses doigts minuscules.

Vincent vint à mon secours en dépliant les petites mains de sa fille pour libérer mes cheveux. On installa Raphaëlle dans son siège sur le comptoir central après que Vincent eut placé, avec des gestes d'une grande douceur, le bavoir autour de son cou. Il prit dans le grand sac apporté par Marie un petit pot de pêches, « fait maison », précisa-t-il, et entreprit de nourrir sa fille, qui dévora le tout avidement.

J'étais très émue de voir mon fils donner ces soins et cette attention à une enfant qui n'existait pas dans sa vie quelques mois plus tôt. Enfant qui n'existait pas plus dans la mienne il n'y avait pas si longtemps. « Les choses vont trop vite ! Il n'y a pas de temps à perdre, me dis-je. Il faut savourer aujourd'hui même. »

Le téléphone sonna. Je me précipitai sur l'appareil pour l'empêcher de troubler le sommeil de Marie. C'était Allison qui venait aux nouvelles.

Je lui parlai des deux belles surprises que j'avais eues en matinée. La visite de Vincent et de sa petite famille, et celle de M. Letendre, qui avait trouvé la cause des reflux d'égout.

— Super bonne nouvelle ! s'exclama Allison. Ton cauchemar est terminé. Chanceuse !

Je lui demandai ce qui arrivait de son côté.

— De la poussière en abondance, du bruit à faire exploser les oreilles, un grand ménage qui va être à refaire puisqu'il va y avoir encore de la poussière et des saletés demain, et après-demain et…

J'abrégeai ma conversation avec mon amie. Je voulais passer ce temps précieux en tête à tête avec mon fils et le bébé. Ça ne m'arrivait pas si souvent, après tout. Et des discussions sur les retards dans les livraisons, sur les complications des rénovations, on en avait eu une et une autre, et on en aurait sûrement encore. Trop. Puisque nos maisons elles-mêmes nous réclament des soins permanents. Sur ce chapitre, j'étais assez soulagée. Allison me l'avait dit dans son appel : « Chanceuse ! Ton cauchemar est terminé. » « Pourvu qu'elle dise vrai », songeai-je. Le plombier s'était annoncé pour le lendemain, afin de vérifier si tous les tuyaux avaient subi le même sort que ceux endommagés par les racines. Et on pourrait enfin passer à autre chose.

Ce que je fis à l'instant. Je retournai auprès de ma petite famille. Marie s'était réveillée de sa longue sieste, inquiète de ne pas trouver la petite près d'elle. Vincent lui transmit ma proposition de prendre soin du bébé pendant qu'ils flâneraient un peu, chose qu'ils n'avaient pas eu l'occasion de faire beaucoup depuis la naissance de Raphaëlle. Est-ce la fatigue qui l'emporta sur ses réflexes de surprotection ? Toujours est-il que

Marie accepta d'emblée. Elle alla chercher les maillots dans leur sac de voyage et me confia le bébé.

Ça avait été aussi simple que ça. Peut-être était-elle rendue au bout du rouleau… Pour qu'elle sente bien que son bébé n'était pas en danger avec moi, je voulus tout savoir sur ma petite-fille : quand serait son prochain repas, où se trouvaient les couches de rechange, et si Raphaëlle possédait une suce ou non. Puis je la rassurai en lui disant que, si ça n'allait pas, je l'appellerais à l'aide, mais que je réussirais sûrement à m'en sortir. À ma grande surprise, Marie et Vincent partirent vers la piscine, ce dernier n'en revenant pas de la tournure des événements. J'en profitai pour changer le bébé, dont la couche paraissait bien pleine. J'avais oublié à quel point les « beaux cadeaux » que les petits nous offrent si généreusement et en abondance pouvaient sentir mauvais. Je commençai à la laver avec sa débarbouillette, mais Raphaëlle bougeait tellement que le tout se répandit sur son ventre et dans son dos. J'essayai de la maintenir allongée pour diminuer les dégâts. Peine perdue. J'en avais sur l'avant-bras, sur les mains. À un moment donné, je voulus relever une mèche qui me tombait dans les yeux. Résultat : j'avais le front beurré et je sentais la campagne au moment de l'épandage du fumier. J'avais beau essuyer à un endroit, il en restait tout le temps un petit bout quelque part. Le plancher était jonché de papiers mouchoirs. En fait, j'avais vidé la boîte au complet. Raphaëlle, pour sa part, semblait trouver la situation très amusante puisqu'elle gazouillait, se tortillait dans tous les sens et éparpillait son cadeau un peu partout sur la couverture de mon lit. La couche propre que j'avais prévu de lui mettre était souillée, elle aussi. Je ne voyais pas comment m'en sortir. Décidément, j'avais perdu la main. Il ne me restait qu'une solution : nous foutre toutes les deux dans le bain. Je la déposai dans l'eau tiède, bien calée dans mes bras.

— Je te dis que, nous deux, on est pas mal dans la merde.

Je m'interrompis. Et je continuai à deviser avec ma petite-fille, qui écoutait attentivement mes propos.

— Bon… ce que je viens de dire, c'est un gros mot. Il ne faut pas le répéter. Tu es un peu petite pour que je t'en apprenne le sens aujourd'hui, bien que tu sois déjà au courant de quoi il s'agit, puisque tu ne te retiens pas beaucoup depuis ta naissance pour étaler tes connaissances sur le sujet. Finalement, on a assez d'affinités, toutes les deux. Au lieu de prononcer le gros mot, disons plutôt qu'on est dans le trouble. Ça va, ça ?

Elle me fit un tout petit sourire. À peine esquissé, mais un sourire quand même.

— Et maintenant, si on faisait connaissance, toi et moi ? lui murmurai-je à l'oreille, en glissant dans l'eau avec elle. Tu es mignonne comme tout. Oh oui ! Tu es ma *principessa*. Ma ravissante princesse. Et tu as devant toi une grand-maman qui semble avoir perdu la main avec les bébés. Elle en a oublié des bouts. Va falloir que tu m'apprennes. Oui, oui. Je suis rouillée. Et parfois très, très malhabile. Et puis aussi, je suis souvent dans la lune. Ça, c'est parce que je suis amoureuse. Tu veux que je te raconte comment ça a commencé ?

Et là, Raphaëlle me fit la plus jolie des risettes.

*

Quand Vincent et Marie revinrent pour le souper, le lavage des serviettes, du dessus de couette, des couches, des pyjamas et des camisoles souillés était fait. La petite était toute propre, et moi aussi. On ne dit rien au sujet de notre bain secret. Je le lui avais fait promettre. Et je savais qu'elle tiendrait parole.

Les jeunes parents me parurent reposés. Marie avait toujours les traits tirés, mais ses yeux offraient un peu plus de vitalité et le soleil avait rosi ses joues.

Elle avait même faim. C'était l'heure du biberon. J'installai la maman et le bébé confortablement, et Raphaëlle but son lait sur les airs d'un petit jazz tout doux interprété par Melody Gardot.

Tout le monde était de bonne humeur. Vincent éplucha les légumes et m'aida à préparer le souper. Tandis que mon fils et sa blonde savouraient leur dessert, j'allai coucher la petite. J'en profitai pour continuer l'histoire déjà amorcée dans le bain. Elle écoutait mes paroles, mais bientôt ses petits yeux se fermèrent tout seuls. Marie et Vincent montèrent un peu plus tard et me trouvèrent dans le fauteuil de ma chambre, les pieds en appui sur le lit, avec Raphaëlle endormie dans mes bras.

Marie se mit à pleurer. Je ne comprenais pas pourquoi. Je déposai la petite dans son berceau et rejoignis ma belle-fille dans la chambre d'amis. Elle pleurait à chaudes larmes ; Vincent tentait de la consoler et de savoir la raison de ce déversement inattendu.

Elle s'apaisa pour me demander finalement, complètement défaite, pourquoi Raffie semblait si bien dans mes bras et pas dans les siens, elle qui, pour l'endormir, mettait des heures.

Je fis signe à Vincent d'aller en bas. Il comprit mon message et annonça d'une façon clownesque qu'il y avait de la vaisselle qui l'attendait. Je pris Marie par les épaules et m'assis sur le lit près d'elle. Elle faisait pitié à voir, avec ses yeux et son nez rougis ; ses longs cheveux blonds collés sur ses tempes. Je caressai son beau visage et tentai de lui expliquer que c'était beaucoup plus facile pour moi, puisque ce n'était pas mon bébé. Je cherchai les mots justes, en employant un ton très doux pour qu'elle ne se sente pas jugée, ni prise en faute. Je lui racontai à quel point j'étais nerveuse après la naissance de Vincent, comment je m'affolais pour un rien et m'évertuais pour que tout soit parfait. Je voulais tellement qu'il dorme que je le rendais nerveux, lui aussi. Il s'agitait dans son sommeil, il souffrait de coliques et me faisait la vie dure.

— Quand je me suis calmée, que j'ai accepté de l'aide, et surtout, quand je me suis fait confiance, les choses sont rentrées dans l'ordre. Vincent a commencé à faire de longues nuits.

— Il n'a pas arrêté depuis, répliqua-t-elle en riant à travers ses larmes. C'est la galère pour le réveiller le matin.

— Tu sais, Marie, être grand-mère, ça veut dire avoir assez de distance pour ne pas s'énerver. Je suis là, tu peux compter sur moi. Si tu as besoin de cette maison comme havre de paix, et de moi comme mère nourricière, comme mamie, comme berceuse, comme amie, je suis partante.

Et c'est ainsi que Raphaëlle fit sa première longue nuit. Vincent et Marie aussi. Il n'y eut que moi qui ne fermai pas l'œil. Je craignais tellement que la petite se réveille et dérange les tourtereaux que j'avais installé le berceau dans ma chambre. Mais à chacun de ses soupirs et de ses borborygmes, je sursautais et je m'inquiétais sans bon sens. Une vraie folle ! Il faudrait que je la raconte à François, celle-là. Nos premières nuits avec un bébé se ressemblent.

Alors, j'avais fait la crêpe toute la nuit, en me répétant combien j'étais tarte, avec mes conseils de mère-grand expérimentée et sereine qui en connaît teeeellement plus que la jeune mère louve !

18

Un délicieux petit-déjeuner m'attendait sur la terrasse. Pain grillé, jus d'orange frais, yogourt et fraises. Et bien sûr, un grand bol de café au lait me fut servi à mon arrivée à l'extérieur. Marie avait tout préparé. Elle avait placé Raphaëlle dans son siège de bébé près de l'étang. La petite gazouillait avec les grenouilles. Marie était assise dans une chaise Adirondack et prenait le soleil tout en surveillant sa fille, une revue sur les genoux.

Elle m'accueillit en souriant. Elle semblait détendue.

— J'avais oublié comment c'était beau et calme ici.

— Ça fait longtemps que tu es debout ? lui demandai-je.

— On est habitués à se lever aux aurores. J'ai pris la petite vers sept heures trente pour qu'elle ne te réveille pas. C'est la première fois que Raffie fait une nuit complète.

Puis, elle s'inquiéta tout à coup.

— Elle t'a réveillée cette nuit ?

Je lui fis signe que non. Je n'allais quand même pas lui avouer mon manège de la nuit précédente.

Le bruit d'un grand plongeon attira mon attention. Vincent venait de faire une bombe dans l'eau en éclaboussant tout autour.

— Un ado, dis-je à Marie. Il ne peut pas s'en empêcher.

Aussitôt que le plongeur émergea à la surface, je l'appelai.

— Vincent ! Est-ce que c'est vraiment nécessaire que tu arroses systématiquement mes plantes avec l'eau chlorée de la piscine ? lui criai-je.

— Ça fait tellement de bien, si tu savais ! répliqua-t-il, hilare.

Il sortit de la piscine pour nous rejoindre. Arrivé devant moi, il se secoua comme un chien qui s'ébroue. J'avais plein d'eau sur le visage. Je m'essuyai avec une serviette de table.

— Vincent ! T'es un vrai bébé. Après ça, tu viendras me dire que je ne sais pas m'occuper des plantes. C'est toi qui les fais mourir avec tes sauts périlleux !

Ce qui eut l'air de plaire à Marie. Elle éclata d'un joli rire cristallin. Aussitôt imitée par Raphaëlle. Nous restâmes tous les trois figés sur place. Vincent et Marie se regardèrent, émerveillés.

— C'est la première fois qu'on l'entend rire comme ça.

Vincent s'approcha de la petite et l'embrassa comme s'il allait la dévorer.

— C'est ton papa clown qui te fait rire comme ça ? À moins que ce soit ta grand-mère, qui a l'air d'un petit chien barbette détrempé ?

Marie protesta.

— Laisse, Marie, lui dis-je, complice. Il n'a aucun respect pour sa vieille mère.

— Un autre café ? demanda Marie à son chum.

— Je veux bien. Puis un petit bout de pain. Avec un peu de Nutella. Pis, pourquoi pas, un petit fruit pelé de tes blanches mains, puis un baiser…

— Ne commence pas ça, Marie. Tu vas te retrouver avec deux bébés sur les bras, lançai-je.

Marie s'approcha.

— Il n'y a que le baiser que je vais t'offrir. Pour la bouffe, tu te débrouilles tout seul.

Et elle le serra amoureusement dans ses bras. Vincent colla sa tête mouillée sur la poitrine de sa blonde et ferma les yeux, ravi de ce moment de tendresse. Raphaëlle se mit alors à gazouiller. Elle faisait des bruits amusants avec sa bouche. Des bulles de salive accompagnaient les cris joyeux.

Maxou et Rosie, attirés par le chant du bébé, tournaient autour du siège, en restant à distance raisonnable.

Je me levai pour intervenir. Marie me rassura.

— Ne t'inquiète pas. Ils ont déjà fait connaissance. Et Maxou a perdu quelques poils dans l'échange. Raffie lui a attrapé la queue avec sa bonne poigne. Il va s'en rappeler.

Effectivement, les deux chats semblaient impressionnés par le bébé. Maxou s'allongea aux pieds de la petite après avoir fait son inspection, et Rosie fit de même. Vincent nous fit remarquer que Raffie avait maintenant ses gardes du corps.

*

Marie étira ses bras au-dessus de sa tête en laissant échapper un grand soupir d'aise.

— Je suis tellement bien ici. Il faut qu'on revienne plus souvent, hein, Vincent ?

Mon fils me lança un regard furtif; il s'approcha de sa belle.

— Et si tu en profitais pour rester ici quelques jours avec Raffie ? Moi, je viendrai vous rejoindre ce week-end. Qu'est-ce que t'en dis ?

Tentée, Marie regarda Vincent; puis ses yeux glissèrent vers le jardin.

— Ça n'est pas l'envie qui manque. Mais on dérangerait. Ta mère a tellement de choses à faire. Et puis…

Je décidai de m'immiscer dans la conversation.

— Et puis quoi ? enchaînai-je. C'est vrai que j'ai des choses à faire, mais c'est surtout vrai que j'ai une famille. C'est vous trois, ma famille, et si je n'ai pas de temps à vous accorder, on est bien mal partis, tu ne trouves pas ? On va se partager les tâches. Tu pourras te reposer, reprendre des forces, hein ?

J'espérais de tout mon cœur qu'elle accepterait cette invitation.

En dernier ressort, elle objecta qu'elle n'avait pas tout ce qu'il fallait pour Raffie.

— Des couches ? dis-je, sa phrase à peine achevée. Ils en vendent au village. Je ne vis pas dans la brousse, tout de même. Des biberons aussi, on en trouve. Et pour les vêtements, si tu en manques, ça me permettra de gâter Raffie. Il y a de jolies boutiques.

J'étais bien déterminée à la convaincre.

Elle abdiqua enfin.

— D'accord, mais tu ne fais pas tout.

— Avec toi, ce serait même impossible d'y songer, répliqua Vincent.

Elle lui donna une petite tape sur la tête.

— Aïe ! Elle me martyrise en plus.

Une fois le petit-déjeuner terminé et la vaisselle rangée, Vincent et Marie partirent se promener dans le petit boisé. J'installai Raffie à l'ombre sous le parasol. Elle s'endormit presque aussitôt. Mais le sommeil de la princesse fut de courte durée. Je ne me rappelais plus que de tels cris pouvaient sortir d'un si petit corps. Je m'empressai de l'emmener à l'intérieur pour que ses hurlements n'alertent pas sa maman, qui aurait accouru au lieu de batifoler dans les bois avec son amoureux. À l'évocation des deux jeunes amants, une image pas tout à fait digne de ma condition de grand-mère traversa mon esprit et mon ventre comme un éclair. Je me revis une fraction de seconde dans les bras de Bernardo, au beau milieu d'un champ de coquelicots. Haletants, tous les deux à la recherche de notre souffle emmêlé. Comme ce souvenir était déjà loin ! Je n'en reconnaissais plus les contours exacts, ni les couleurs vives, ni les parfums troublants. Déjà ? Les cris déchirants de Raphaëlle eurent raison de mes élans amoureux.

19

J'eus beau la prendre dans mes bras, la bercer, la cajoler, lui faire des scènes, mon petit bonheur prénommé Raffie se transforma en soprano, rivalisant avec les plus grandes divas de ce monde, en termes de décibels. Quand elle s'apaisa enfin, j'étais en nage. Je venais d'attraper quelques rides au passage et de comptabiliser plusieurs années supplémentaires à mon kilométrage. Plus beaucoup de mon âge, tout ça ! Mémé tirait de la patte.

Le concert reprit de plus belle quand le téléphone sonna. Je pressai la petite contre moi et courus répondre. Au type de sonnerie, j'avais reconnu un appel de l'étranger. « Pourvu que ça soit lui, pensai-je. Pourvu que ce soit Bernardo. » J'avais les jambes sciées.

— *Pronto ?* dis-je, espérant de tout mon cœur et mon corps entendre la voix de Bernardo en retour.

À l'autre bout du fil, on me lança un joyeux *Pronto !* tout à fait italien. Mon cœur éclata dans ma poitrine. Il m'appelait enfin. Mais dans un bien mauvais moment. Qu'à cela ne tienne. Bernardo venait de débarquer en plein dans ma nouvelle réalité.

— Olivia ? C'est quoi, ça ?

C'était Massimo qui se demandait qui pouvait s'agiter et claironner autant près du téléphone. Je tentai de calmer la petite. Je trouvai sur le comptoir sa suce et la lui donnai aussitôt. Ça la fit taire instantanément. Ouf!

— Olivia? C'était quoi, ça? Tu as changé d'univers musical?

Avant que j'aie pu répondre, il ajouta:

— Es-tu obligée d'écouter la musique aussi fort? Dis donc, serais-tu devenue sourde?

— Non! Je suis juste devenue grand-mère, lui répondis-je tout bas pour ne pas effrayer Raphaëlle, qui s'était enfin consolée. Ça va, toi?

— Ça serait plutôt à moi de te le demander.

— Ça va, ça va. J'ai juste offert à Marie de s'installer à la campagne quelques jours, le temps qu'elle reprenne des forces.

— Et le temps pour toi de les perdre, répondit mon ami en riant.

— Très drôle. Voulais-tu me dire quelque chose de spécial?

— Oui et non. Mais comme tu es occupée, je vais laisser faire.

— Arrête de jouer les divas, insistai-je.

— Je voulais juste te dire que Bernardo s'ennuie de toi, je crois.

Je restai sans voix.

— Il vient presque tous les jours à la maison. Pour toutes sortes de prétextes plus insignifiants les uns que les autres. Du sucre, un petit café en passant, l'emprunt d'un outil. Ce matin, après avoir tourné autour du pot, il a finalement demandé si j'avais eu de tes nouvelles. J'ai cru deviner qu'il s'en voulait un peu de la façon dont vous vous étiez laissés. Il m'a dit «sur un malentendu». Tu y comprends quelque chose?

Je savais à quoi il faisait allusion. Nos dernières nuits à l'hôtel, nuits d'amour qu'on avait tellement attendues et qui s'étaient soldées par une panne de désir.

— Oui, oui. Je sais de quoi il veut parler.

Je commençai à raconter ce qui s'était passé. Massimo m'arrêta aussitôt et me dit, à sa manière faussement prude, de cesser immédiatement.

— C'est trop de détails... Trop-de-dé-tails, je ne veux pas le savoir !

Nous avons ri en même temps. Ce n'était pas la première fois, puisque nous n'étions pas de la même allégeance sexuelle, que les « détails » intimes de la vie de l'autre nous intimidaient et nous empêchaient de vouloir en savoir davantage. C'était fournir trop d'informations, comme le disait si bien Massimo.

— Si tu faisais signe à Bernardo, ça le rassurerait, et moi, ça me permettrait de me remettre au travail. Je n'ai pas que ça à faire, lança-t-il sur un ton malicieux, de m'occuper d'un grand benêt amoureux qui n'ose pas s'avouer.

— Parce que tu crois que...

— Ah ! Franchement, Olivia ! Tu me décourages. Vous ne vous êtes pas vus pendant ton séjour ? Et que je te frôle, et que je te dévore des yeux, et que je te fasse rire ! Vous en étiez indécents, avec votre regard bordé de reconnaissance ! L'urticaire qu'a développée la belle-sœur est pas encore guérie.

Puis sur un ton plus doux, il m'incita à ne pas le laisser filer, celui-là. Selon lui, les autres hommes qui étaient passés dans ma vie avaient à peu près tous été des « cas ». Celui-là était vraiment différent.

— Ce gars, c'est un des rares parmi tes amoureux qui me plaise vraiment et avec qui je m'entende bien et que j'aimerais revoir avec toi. Fait que, grouille ! Tu appelles au plus tard demain.

J'étais aux anges. Je lui promis de le faire sans faute et lui donnai quelques nouvelles des travaux exécutés à la maison, dont la visite de la pelle mécanique prévue pour l'après-midi. Je lui demandai à mon tour comment les choses se passaient de son côté.

Il me raconta les dernières difficultés qu'il avait eues avec la maison. Les estimations pour les travaux de réfection allaient bon train, mais risquaient de le ruiner également.

— J'aurais intérêt à tout faire moi-même. Il y a tellement d'arnaqueurs. Puis, ce n'est jamais à mon goût. Ils veulent tous rajouter leur touche personnelle. Tu te souviens de l'architecte que j'avais engagé pour les plans ?

— Le petit monsieur pas de cheveux, avec de grosses lunettes qui lui cachent tout le visage ? déclarai-je.

— Lui-même en personne. Eh bien, hier, je suis parti en claquant de toutes mes forces les portes… expliqua-t-il, hésitant une fraction de seconde avant d'ajouter pour me faire rire : les portes coulissantes de son bureau !

Je reconnaissais bien là le Massimo que j'aimais tant et qui me manquait.

Il m'annonça avec enthousiasme que la revue de déco italienne qu'on dévorait lors de mon passage chez lui venait de faire paraître une nouvelle édition. *Fantastica !*

— Des heures de plaisir ! Ça devrait arriver au Québec sous peu.

— Quand est-ce que tu rentres ? répliquai-je.

— Pas de sitôt, ma belle, si je veux organiser les travaux avant l'hiver.

— Ah ! soufflai-je, un peu déçue. Tu me manques.

— Toi aussi. Mais on est encore pris dans les rénovations. Ça semble être devenu notre vie, ça.

— Je ne suis pas sûre que ça me plaise autant qu'avant, lui avouai-je. Je commence à être fatiguée. Je voudrais juste vivre, je pense. Je ne sais pas quoi encore, mais quelque chose qui ressemble au calme, au silence.

— Eh bien, dans ce cas-là, va coucher ton bébé et appelle mon voisin italien et arrêtez de vous plaindre à moi ! Est-ce que j'ai quelqu'un qui se jette littéralement à mes pieds, moi ? Non ! Un amoureux transi, qui use son tapis à force de tourner en rond en pensant à moi ? Non ! Alors, lâchez-moi la grappe avec vos valses-hésitations, vous êtes assez grands pour vous organiser tout seuls. *Basta !*

Il se lança dans une longue tirade en italien, quelque chose comme la supplique de la grande scène mélodramatique d'un troisième acte. J'abdiquai sur-le-champ. De toute façon, je ne comprenais rien à son charabia. Je promis de téléphoner à son voisin le plus rapidement possible.

Il me salua tendrement, me fit plein de *baci* sonores à l'oreille et raccrocha.

Le temps que je savoure la nouvelle au sujet de Bernardo, Raphaëlle reprit ses vocalises et me rappela cruellement que j'étais, dans l'instant présent, sa grand-mère, même si mon cœur battait à tout rompre comme s'il avait retrouvé sa prime jeunesse.

20

Je terminais de faire la vaisselle du petit-déjeuner lorsque la camionnette du plombier déboucha dans le stationnement. Un gros bonhomme en descendit et déclara en claquant la portière: «Mieux vaut tard que jamais.» Ça faisait seulement deux jours que je l'attendais. Heureusement pour nous que les toilettes continuaient de fonctionner et que les débordements de la cave avaient cessé. Je me dis en l'écoutant que, s'il y allait lui aussi d'un tonitruant «ma p'tite madame», je l'assommerais. Heureusement pour lui, il se retint. Il put conserver sa tête ce matin-là. Tandis que Marie allait coucher la petite pour sa sieste, je profitai de la présence de mon fils pour expliquer au plombier mes problèmes de refoulement d'égout. J'avais appris par le passé qu'il vaut mieux être accompagnée d'un homme pour exposer la nature des problèmes rencontrés dans une maison, car cette présence masculine facilite grandement la compréhension et la communication entre les parties; et ce, même si c'est la madame qui est la propriétaire de ladite maison et qu'elle peut décrire elle-même de quoi il s'agit dans une langue claire, en utilisant les mots adéquats. Elle n'a qu'un défaut majeur: elle est une femme.

Et depuis que j'avais fait l'acquisition de la maison jaune, Vincent avait été témoin de ce phénomène sur le terrain ou, du moins, avait entendu en long et en large mes récriminations sur le sujet.

Je présentai au plombier mon fils comme étant un grand spécialiste de la question. Vincent se fit une joie d'être mon complice et joua le jeu avec un malin plaisir, en en mettant plus que le client en demandait. Le plombier était d'avis que, même si l'émondeur avait fait une « bonne job » en dégageant les racines, il fallait vérifier tout le circuit des canalisations pour être certain que le problème du refoulement dans la cave ne se reproduise pas. Il repartit après inspection et de la cave et du terrain, en promettant à mon fils, et non à moi, de revenir en après-midi avec son coéquipier et une pelle mécanique pour…

Je m'affolai.

— Comment ça, une pelle mécanique ?

Que j'aurais donc dû me taire, avec ma question idiote ! Ce que je craignais le plus m'arriva comme un boomerang en arrière de la tête.

— Ma pauvre p'tite madame, me dit-il en riant, tout en jetant des regards entendus à mon fils, comment vous pensez qu'on peut creuser ? Pas à la mitaine, en tout cas !

Il asséna une claque dans le dos de Vincent, en le prenant à témoin de mon ignorance. Mal lui en prit. Si j'ai réussi une chose dans la vie, c'est à inculquer le respect des individus à mon fils, que j'ai élevé comme la féministe que j'ai toujours été. Sa réponse au plombier eut le même effet que la claque que ce dernier venait de lui donner.

— Cette femme n'est pas et ne sera jamais une « p'tite madame », et elle a un nom. Elle s'appelle Olivia ou Mme Lamoureux. Et elle en connaît pas mal plus que vous pensez. Elle tient cette maison à bout de bras depuis quelques années déjà, elle sait de quoi elle parle.

Le plombier ravala son rire insignifiant. Il promit, soudain très poli, à Mme Lamoureux d'être de retour au plus tard à quatorze heures. Et il se dirigea vers son camion sans demander son reste.

Je pris mon fils par le bras, pas peu fière de son intervention, et on retourna à la maison en riant à notre tour, heureux de la tournure des événements.

*

Ils étaient plusieurs sur le terrain. Certains criaient, d'autres gesticulaient. L'énorme pelle mécanique s'en donnait à cœur joie, malgré mes protestations répétées, en plantant ses dents voraces et acérées dans la terre, broyant dans sa large gueule l'herbe qui avait mis un temps fou à pousser, écrasant sous ses énormes roues tout ce qui était sur son passage et qui m'avait demandé tant de soins et d'efforts : fleurs, plantes, graminées, tout ce qui avait belle allure. Si au moins ça avait été les mauvaises herbes, mais non. La canalisation était située sous les platebandes. Même les petites bestioles qui avaient le malheur de se trouver là rendaient l'âme sous le poids du véhicule.

— Ça repousse, ma p'tite…

M. Ledoux se reprenait aussitôt sous l'œil réprobateur de mon fils, qui ne le lâchait pas du regard. Je crois que M. Ledoux se tenait les fesses serrées devant Vincent, qui lui avait servi la même leçon de civisme qu'il avait donnée à l'émondeur plus tôt dans la journée. Il avait affaire à un excellent horticulteur-paysagiste, mais également au fils de la patronne.

— Hein ! Ma… madame Lamoureux ? C'est vivant, ça. Ça va repousser. Pis, inquiétez-vous pas, on va tout remettre en place après. Ça va être pareil comme avant.

Je soupirai. Je le savais bien, comment ils allaient me « remettre » tout ça. Ils n'étaient pas les premiers à me faire cette promesse.

Il fallait voir dans quel état ils laissèrent les lieux après leur passage. En général, ils n'avaient aucun sens de l'esthétique. Ils replaçaient les plantes et les fleurs en les déposant sur la terre comme si ces dernières allaient s'enraciner à nouveau d'elles-mêmes. C'est bien connu, les ouvriers préfèrent de beaucoup les « grosses jobs » qui salissent, qui font du bruit et demandent un effort physique. Ne leur parlez pas de finition, de platebandes, de tâche délicate. Très peu pour eux. Je savais que j'aurais un travail énorme à faire pour tout replanter et réaménager.

Je profitai de la sieste que faisait Raphaëlle en compagnie de sa maman pour sauver les plantes qui pouvaient l'être. Je courais dans tous les sens pour prévenir le plus possible les dégâts, tandis que Vincent dirigeait l'équipe de terrassiers, qui étaient ravis d'avoir un homme de leur bord. Ça faisait déjà plus d'une heure qu'ils creusaient. Une longue tranchée serpentait sur le terrain et, à travers les platebandes, on apercevait les canalisations. Un vrai champ de bataille. Et tout ce qu'ils repêchaient n'était que des cadavres de bouts de tuyaux en terre cuite, troués, ébréchés, ou carrément écrasés.

Ça ne « regardait pas bien », comme le répétait *ad nauseam* M. Ledoux.

Je commençais à avoir un sérieux mal de tête. Je croyais en avoir fini avec les déboires de cette maison, et voilà que ça repartait de plus belle. En plus catastrophique encore. Je n'osais pas imaginer ce nouvel épisode de la maison jaune, qui à cet instant précis aurait pu s'intituler « Ledoux, Letendre et Lamoureux » !

De la maison, Vincent, qui était rentré boire un peu d'eau, hurla mon nom en tendant bien haut le combiné du téléphone. Il me faisait de grands signes. Je levai les épaules, l'interrogeant avec mes mains, incapable de vaincre la pelle mécanique au concours de décibels. Vincent mima quelque chose, ce qui m'énerva d'abord puis me fit rire aux éclats. Il faut dire qu'il n'était pas très brillant à ce jeu. Toujours le téléphone à la main, il imita un rameur, puis l'instant d'après, quelqu'un qui fait tourner un objet au-dessus de sa tête. Plus l'idée que je me faisais de ses simagrées se précisait, plus je sus qu'une belle surprise m'attendait au bout du fil. Vincent avait bien imité un gondolier et un chef qui fait tourner une pâte à pizza dans les airs. De deux choses l'une : ou c'était Massimo qui appelait de nouveau, ou c'était Bernardo. Je courus vers la terrasse, où se tenait mon fils. Mon cœur battait à tout rompre. Je saisis le combiné que Vincent me tendait.

— Allo ? Ah ! C'est... *Pronto !*

C'était lui. Je devins écarlate au seul énoncé de son prénom. J'essayai de respirer calmement pour que mon fils ne devine pas mon émoi et j'entrai au pas de course dans la maison. Vers la *dolce vita*.

Bernardo était là, au bout du fil, tendre et joyeux comme aux moments les plus doux de nos escapades. Me susurrant des délices à l'oreille. Il me disait que je lui manquais, qu'il tournait en rond sans moi, qu'il s'excusait pour nos dernières nuits, qui avaient été, d'après ses propres mots, une grande catastrophe. Il bafouilla, tenta d'émettre une explication et me déclara tout de go qu'il avait eu peur. Peur que les choses soient si simples, peur de se trouver devant l'inéluctable, devant une évidence. Il était bien avec moi.

Je fondis littéralement. J'avais chaud, je frissonnais, je cherchais l'air. Et pour couronner le tout, j'avais envie d'éclater en sanglots. Je me retins pour ne pas l'effrayer.

Je lui murmurai dans quel état j'étais. Je lui avouai que ses grands bras me manquaient, que l'absence de ses mains calleuses sur ma peau se faisait cruellement sentir, que je respirais moins bien sans lui.

Il éclata de rire, ému.

— Et si j'allais faire un petit saut chez toi, bientôt?

— Tu rentres à Montréal? répliquai-je, ravie.

— Non. J'ai du boulot par-dessus la tête, mais je pourrais prendre trois jours.

— Trois jours? formulai-je dans le combiné avec un air triste. C'est peu.

— Ça dépend de ce qu'on en fait, ajouta-t-il, le sourire dans la voix. Comme je serai sur le décalage horaire durant ces quelques jours, je vais vivre en insomnie constante. Je pourrais en profiter pour être dans tes bras. Tout le temps.

— Mais moi, je vais avoir besoin de dormir un peu, répliquai-je.

— Tut... tut... tut... *Basta ragazza.* Ça suffit, jeune fille.

J'adorais quand il me parlait italien; même si je ne comprenais pas tout.

Puis il changea de sujet, me demandant quel était tout ce boucan chez moi et surtout à qui appartenait la voix masculine qui avait pris l'appel. Je sentis poindre une légère jalousie dans sa question.

— C'est mon fils, Vincent. Il est ici avec sa blonde et sa fille de quelques mois. Je les aide un peu à reprendre leur souffle. Ils sont hyper stressés et fatigués depuis la naissance du bébé. Je joue à la mamie cette semaine.

— Il me tarde de faire leur connaissance. Tu crois qu'ils vont réussir à se reposer chez toi? Ça me semble assez bruyant. Ils ont commencé les travaux pour ton problème d'égout?

— Oui. Ils cherchent à voir l'étendue des dégâts. On a dû abattre un magnifique sapin baumier hier. Et ils brisent tout avec leur grosse machinerie. Une fois qu'ils auront repéré tous les tuyaux à remplacer, on aura un peu plus de paix; mais beaucoup de travail qui n'était pas prévu au programme.

— *Mia cara*, je dois te laisser. Mais je te fais signe aussitôt que je peux me libérer. *Ciao bella, ciao!*

Je le retins quelques secondes pour lui dire que j'avais eu l'intention de l'appeler le jour même, puisqu'il me manquait trop. Bernardo resta sans voix; on savoura tous les deux ce doux aveu en silence. Et il raccrocha.

Je demeurai assise sur le tabouret de la cuisine, le combiné à la main. Il se languissait sans moi. Wow! Un long frémissement parcourut tout mon corps. Ce qui n'avait été au départ qu'une amourette de vacances se transformait en quelque chose que je n'arrivais pas à nommer dans l'immédiat — que j'espérais conserver non identifiable le plus longtemps possible —, mais qui me troublait au plus haut point.

À mon âge, cette émotion amoureuse si magnifique et excitante pouvait encore faire partie de ma vie! « Il n'y a donc pas d'âge pour se sentir à nouveau aussi jeune et irraisonnée qu'une adolescente », me dis-je. Alors que je devais m'avouer que j'étais bel et bien une femme ménopausée, et grand-mère de surcroît!

Je dus laisser mes réflexions de côté puisque mon fils ouvrit abruptement la porte de la cuisine.

— Je pense que c'est important que tu voies ce qui se passe, annonça-t-il d'une voix grave.

Je déposai le combiné et le suivis à l'extérieur, intriguée. Quelle autre catastrophe les ouvriers avaient-ils bien pu faire cette fois? Ça ne finirait donc jamais!

21

Quand je réussis enfin à m'asseoir, le soir venu, j'étais fatiguée comme si un train m'était passé sur le corps, aller et retour. La pelle mécanique avait tout aussi bien fait l'affaire. J'avais mal partout, j'avais des tensions au cou et à la mâchoire pour avoir serré les dents de rage. J'étais tellement découragée que je ne savais plus vers qui me tourner.

Vincent avait rejoint la ville, seul. Travail oblige. Marie n'avait pas changé d'avis ; elle restait chez moi en compagnie de sa fille. Elle dormait enfin, prenait l'air, mangeait à des heures normales et, selon toute apparence, Raphaëlle tirait également profit de ce traitement de santé. Marie trouvait que la petite buvait mieux, s'endormait plus vite pour les siestes et pour la nuit, et toutes les deux étaient de bien bonne humeur. La blonde de Vincent m'aidait pour les courses, pour la vaisselle, et faisait un peu de ménage. Nos nombreuses allées et venues entre la maison et le jardin, désormais transformé en marécage, avaient laissé quelques traces un peu partout à l'intérieur.

Marie ne prenait pas grand-place dans la maison, elle ramassait au fur et à mesure et ne me confiait Raphaëlle que pour aller faire sa toilette tranquille et dormir un peu. Mais j'avais l'impression que, d'ici à la fin de la semaine, j'aurais droit plus souvent à

Raffie puisque sa maman se sentait de plus en plus en confiance. Et l'affection que je vouais à Raphaëlle grandissait d'heure en heure. Une chance pour moi que j'étais occupée à d'autres tâches, sinon je serais devenue gaga. Cette enfant avait une façon déconcertante de sourire. Ça arrivait au moment le plus inattendu et c'était, chaque fois, comme un feu d'artifice. Maxou et Rosie raffolaient tous les deux de la petite et veillaient sur elle. J'avais gardé en mémoire l'appel amoureux et magnifique que m'avait passé Bernardo. Je rêvais déjà à ces quelques jours qu'on espérait passer seuls.

C'est tout le reste qui n'allait plus.

La maison faisait encore des siennes, et j'avoue qu'à cet instant, la fatigue aidant, je l'aurais volontiers abandonnée à son triste sort.

Je l'aurais vendue sur-le-champ, et à rabais si nécessaire, ou mieux, je l'aurais donnée au premier venu, avec tous ses ennuis, sans aucune garantie ni retour possible. Tout en me brossant les dents, je m'enhardis à élargir le tableau des possibilités de destruction, tant j'étais à bout : pourquoi ne pas la laisser couler dans la rivière et la regarder s'enfoncer jusqu'à la voir disparaître complètement ? Ou la démolir à coups de masse pour éprouver un quelconque soulagement ? J'avais déjà observé la grande satisfaction que procurait à mes ouvriers la démolition d'un mur pour avoir envie d'en faire autant. La passer à la tronçonneuse ? La découper en tranches fines et achever de la sectionner pour la transformer en cure-dents ? N'importe quoi pour m'en débarrasser une fois pour toutes ! C'est ainsi que Marie me surprit, alors que j'étais en plein ménage buccal ; mon attitude avait de quoi inquiéter, puisque je n'y allais pas de main morte avec la brosse. Toute ma rage contre la maison y passait. Lorsque je la vis, elle se tenait dans le cadre de la porte et semblait intriguée par ma frénésie inhabituelle.

— Elles vont être propres, tes dents, souligna-t-elle avec un petit sourire.

Je me tournai vers elle et lui souris à mon tour. J'étais essoufflée par l'effort.

— Ce n'est pas toujours comme ça. Là, je suis tellement découragée par la maison qu'il faut que je passe mon énervement sur quelque chose.

J'en profitai pour déposer ma brosse à dents avant d'avoir les gencives en sang. Marie vint s'asseoir sur mon lit et m'avoua que, pour sa part, l'instrument qu'elle utilisait dans ses moments de colère, c'était le balai.

— J'te dis que ça revole ! Et ça me fait du bien.

Puis elle ajouta qu'elle me remerciait de l'accueillir chez moi avec Raffie ; que déjà ces deux jours leur avaient fait, à toutes les deux, un bien énorme. Qu'elle espérait rester encore quelques jours, si ça ne me dérangeait pas.

Je m'assis près d'elle et caressai sa joue ; sa peau diaphane laissait poindre une gêne évidente.

— Tu ne me déranges absolument pas, ma belle chérie. Et Raphaëlle non plus. Au contraire. Je suis tellement contente qu'on prenne du temps ensemble ! Toutes les trois. Entre filles.

— Moi aussi, ça me plaît. Mais je n'aimerais pas être une charge supplémentaire pour…

Je l'interrompis aussitôt.

— Tu vas m'arrêter ça immédiatement. Tu es chez toi ici. Si quelqu'un doit se sentir mal à l'aise, c'est bien moi. Au lieu d'une maison calme, sereine et accueillante, je t'offre un champ de bataille bruyant et dévastateur.

Elle me regarda de ses yeux bleus pour me dire doucement que les choses allaient sûrement s'arranger.

— Tu as toujours réussi tes maisons, déclara-t-elle. Pourquoi ça ne marcherait pas cette fois-ci ? Tu as une capacité étonnante à retomber sur tes pieds, c'est ce que tu fais le mieux depuis que je te connais : rebondir malgré le drame.

Pour ne pas briser l'image un peu idyllique qu'elle se faisait de moi, je n'osai pas lui révéler à quel point j'étais fatiguée de tout ça. Depuis quelque temps, je me sentais prisonnière d'une bulle de verre qu'on secouait selon l'humeur, j'étais soumise à des courants imprévisibles qui me précipitaient dans tous les sens et j'étais incapable de me sortir de cette situation. Ça ne me ressemblait pas trop, cette façon de faire, moi si combative d'habitude. Mais là, j'étais prête à baisser les bras.

— Tu vas dormir ? lui demandai-je avant qu'elle ne sorte de la chambre.

Elle rougit à pleines joues.

— Non. Je... j'ai un petit creux. Depuis que je suis chez toi, j'ai repris du plaisir à manger. Tu veux une pointe de tarte ? Il en reste suffisamment pour deux.

— Non, merci, Marie. Je dois faire gaffe, côté bouffe. Il paraît que j'ai engraissé outre mesure, que je ne suis plus montrable. Alors je coupe le sucré, le salé, le gras. Tout ce qui est bon finalement, conclus-je en riant.

— Tu seras toujours belle.

— En plus, je n'ai pas faim. Tu peux donc tout manger sans remords aucun. Je suis même trop crevée pour tenir une fourchette.

En quittant ma chambre, elle me conseilla à la blague de faire attention avec la brosse à dents.

Je m'installai au lit avec mon gros problème de maison.

Le résultat des recherches sur le terrain avait été catastrophique. En creusant pour mettre au jour les tuyaux, on avait découvert que le système de canalisations était dans un piteux état. Mais avant de faire les réparations qui s'imposaient, il fallait trouver la connexion aux égouts de la ville. J'avais donc sorti tous les papiers officiels de la propriété. Et même après l'étude des plans, effectuée par le plombier, son assistant, mon fils, il avait été impossible de la localiser.

— Peut-être que votre maison n'est pas branchée aux égouts de la ville ? avait proposé le plombier.

— Comment ça, pas branchée à la ville ? lui avais-je répondu du tac au tac.

Il m'avait expliqué que plusieurs propriétaires de maisons dans le village, même les plus cossus, avaient préféré aux installations des égouts de la ville aménager une fosse septique.

— Il y a beaucoup de municipalités au Québec qui fonctionnent comme ça.

— Voyons donc ! Je ne suis pas folle. J'ai acheté une propriété branchée aux égouts de la ville.

M. Ledoux m'avait regardée avec ce sourire narquois du petit Jos-connaissant-qui-sait-tout-sur-tout et qui se trouve devant la pauvre-petite-madame-qui-ne-connaît-rien-à-rien-surtout-pas-aux-systèmes-d'égout. J'étais rouge comme une tomate et je cherchais à prendre mon air égal. J'ai cru que j'allais le mordre tellement il m'énervait.

— Bon ! avais-je déclaré. On ne peut pas faire plus de dégâts sur le terrain qu'on en a fait aujourd'hui. Je vais consulter les papiers et la Ville. Je vous rappelle quand j'en sais davantage.

C'est là qu'il a commencé à me dire de faire vite, parce que je n'étais pas sa seule cliente, qu'il avait d'autres chantiers en attente et qu'en plus je ne pouvais pas vivre avec un égout à ciel ouvert.

J'ai regardé Vincent, qui a vite compris que la vie du plombier était en danger s'il ne se la fermait pas sur-le-champ. Il l'a donc reconduit à son camion pour que je ne l'aie plus devant moi, sinon je lui aurais arraché la tête.

Je suis rentrée dans la maison. J'ai fouillé dans tous mes papiers. Je ne savais plus vers quoi ni qui me tourner. J'ai appelé Albert. Il avait été avec moi à toutes les étapes de l'achat de la maison. Lui saurait me conseiller. Puis, je me suis souvenue qu'il était toujours en Chine. J'ai tenté de joindre Lulu, mais elle rencontrait un client à son agence de voyages. J'ai également fait chou blanc avec François, qui était en réunion. J'ai laissé le même message à chacun d'entre eux, sauf sur la messagerie d'Albert, à qui j'envoyais toute ma tendresse ; je demandais à Lulu et à François de me rappeler de toute urgence. Mon cœur battait si fort que j'avais sérieusement besoin de me faire rassurer. Je n'étais pas folle. J'avais bien acheté une maison branchée aux égouts de la ville. Je me suis replongée dans l'étude de tous les papiers. J'étouffais pendant que le plancher se dérobait sous mes pieds.

Il était spécifié dans la déclaration du vendeur, au paragraphe concernant les installations sanitaires, que la maison était branchée aux égouts de la ville. Mais comme le formulaire que doit remplir tout propriétaire qui vend sa maison était en anglais, je me suis mise à douter. *Sewer ?* Ça voulait bien dire égout, non ? Je me suis précipitée à la recherche de mon dictionnaire anglais-français.

Sewer : égout, réseau ou système d'eau usée. C'était bien ça.

Le document spécifiait que la maison était branchée au réseau de la ville et que la petite salle de bain, comprenant une toilette, et les deux grands lavabos situés dans la partie atelier du garage étaient, pour leur part, reliés à une petite fosse septique. J'étais au courant de ça depuis le début et la fosse avait été vidée chaque année.

J'avais téléphoné à la Ville pour dire à la responsable de ce type de dossiers qu'on n'arrivait pas à trouver cette information essentielle sur les plans remis par le vendeur.

La préposée m'avait répondu que les certificats de localisation antérieurs à quelques années n'indiquaient pas nécessairement l'emplacement des branchements au système d'égout. Si je regardais bien sur le plan, je pouvais voir, à partir de la rue, une petite ligne qui indiquait où étaient les tuyaux appartenant à la ville, mais pas ceux situés sur la propriété. Je suivais ses instructions sur le plan étalé sur la table de la terrasse. Elle avait ajouté, laconique, qu'il approchait quatre heures trente et que les bureaux fermaient. Je devrais donc attendre au lendemain pour obtenir plus d'aide. J'avais ensuite repris le téléphone pour donner un coup de fil à ma notaire. J'avais dû laisser un message. Cette dernière m'avait rappelée presque aussitôt. Et comme la transaction d'achat de cette maison était assez récente, elle avait pu me rassurer, de mémoire. Elle regarderait de plus près dans mon dossier à la première heure le lendemain.

— Ne vous inquiétez pas, madame Lamoureux. Vous avez bel et bien fait l'acquisition d'une propriété dont le système d'égout est branché à la ville. C'est dans les papiers officiels. Parlez aux préposés à la Ville demain, ils vont sûrement pouvoir localiser l'emplacement du branchement.

Ça m'avait rassurée. Un peu. Mais pas totalement.

22

À cinq heures, je me levai. Ça faisait plus d'une demi-heure que la grande circulation avait démarré dans ma tête et créait déjà des embouteillages. Tout se bousculait ; les accrochages inévitables, les freinages brusques et les accidents spectaculaires se multipliaient à mesure que j'évaluais l'étendue des dégâts. Qu'est-ce qui m'avait pris de faire l'acquisition de cette maison ? À quoi avais-je pensé ? Bien sûr, il y avait d'abord eu le côté romantique et bucolique lié au fait d'habiter à la campagne. Ah ! Gambader dans les prés, faire des pique-niques au bord d'un lac et des grandes fêtes sur la terrasse, ramasser des champignons, faire des balades à bicyclette, assembler de grands bouquets de fleurs des champs, dessiner dans la nature, assister à la naissance des oiseaux, au passage des chevreuils et de leurs petits, même s'ils se nourrissaient à même les platebandes comme s'il s'agissait d'un buffet de style *all you can eat*. Un vent idyllique d'images agrestes soufflait de plus belle devant mes yeux pour justifier une fois de plus cette envie irrépressible de campagne. Contempler le blanc à l'infini, l'hiver venu, et la verdure luxuriante en été ; espérer le temps frisquet et les couleurs de feu de l'automne ; et recommencer à vivre à l'arrivée du printemps en s'étonnant que tout repousse, chaque année. Héberger mes amis, qui ne tarissaient pas d'éloges sur cette demeure de rêve, s'adonner en leur compagnie à toutes les gourmandises, écouter la pluie tambouriner sur les vitres, dormir dans le hamac en plein après-midi, nager, marcher, rire en plein air, faire la fête jusqu'à tard dans la nuit sans craindre de déranger les voisins. Admirer les grands arbres qui frissonnent au vent léger, planter des fleurs, respirer le calme et le silence. Stop !

À ces images d'Épinal vint très rapidement se greffer l'envers du décor. La peinture qui se décolle sur les clôtures et qu'il faut absolument refaire cette année sans faute, la neige à pelleter chaque jour des longs hivers et qu'on ne sait plus où mettre tellement il y en a, les feuilles qui n'en finissent plus de voleter et qu'il faut absolument ramasser, les mauvaises herbes qui repoussent aussitôt qu'on a terminé enfin de tout désherber, la pelouse à tondre, encore et encore, les branches tombées qu'il faut enlever du terrain, couper, composter, et tous les imprévus, qui sont légion. Une vitre cassée, le crépi de la maison qui s'effrite, l'escalier qui n'est plus aussi sécuritaire, les pierres de la terrasse qu'il faut remplacer, l'étang qui déborde ou qui se couvre d'algues, la piscine à nettoyer, la sonnette qui ne fonctionne plus ; la porte qu'on n'arrive plus à fermer à cause de la chaleur et qui retrouve sa taille, mais laisse quand même passer la froidure en hiver. Les appareils électriques qui font défaut, les pannes d'électricité qui dérèglent tout, les comptes qui s'accumulent, les assurances qui n'assurent presque rien, la toiture qui coule, les gouttières qui se bouchent, la cheminée à faire nettoyer, le bois à commander, à corder, à apporter dans la maison, les fourmis, les araignées qui pullulent, les nids d'abeilles à déplacer... Et faire tout cela quasiment seule ! J'eus un véritable vertige, et l'envie terrible de hurler à pleins poumons puis de m'effondrer en pleurs l'instant d'après.

Je me levai d'un bond pour aller me rafraîchir le visage avant d'exploser. Mon cœur battait comme un fou ; je le sentais dans mon cou, mes tempes. Parce que ça continuait à s'accumuler dans ma tête. Toutes les fenêtres qu'il restait à changer et le parement de la maison à refaire… quelques marches de granit menant à la piscine à remplacer au plus vite avant que quelqu'un ne se casse la figure. Et l'argent qui sortait à pelletées du compte en banque, beaucoup plus qu'il n'en rentrait.

Je rajoutai un peu d'eau froide sur le gant de toilette pour recouvrer mes esprits. Et dire que tout ce que je voulais lorsque j'avais fait l'acquisition de cette maison, c'était pouvoir vieillir au calme, dans la nature, en devenant contemplative ! Un peu de jardinage, beaucoup de temps de hamac, quelques fêtes et du repos ! Ça m'aurait pris une douche glacée pour faire fuir tout ce qui me venait à l'esprit, pour me ressaisir, mais j'avais peur de réveiller la maisonnée.

Je quittai ma chambre et, avant de descendre à la cuisine pour me faire un café, je jetai un coup d'œil dans la chambre d'amis. Marie dormait paisiblement. Je me penchai délicatement sur la couchette de Raphaëlle et je restai suspendue à son souffle. Ses petites mains jointes sous son menton, ses joues rosées, son nez fin et sa bouche en cœur me firent chavirer, et mes yeux s'emplirent de larmes. Quelques mèches rousses, en boucles souples, se collaient sur son front perlé de gouttes de sueur. Elle avait un petit quelque chose de moi ; elle aurait, elle aussi, du feu dans les cheveux. Je lui en souhaitai également dans son âme. Je m'attardai un peu, respirant à peine, fascinée par la beauté de cette enfant chez qui je retrouvais, çà et là, des petits bouts de mon fils, quelques traits de Marie. J'étais attendrie et bouleversée à la fois. J'enviais cet abandon. Je quittai la pièce sans bruit avant de devenir complètement gâteuse ; en fait, je l'étais déjà.

En me préparant un expresso, je réalisai que la messagerie du téléphone clignotait. Depuis l'arrivée de Raphaëlle dans la maison, j'avais pris soin, chaque soir, d'éteindre la sonnerie pour ne pas la réveiller. J'avais oublié que j'attendais des nouvelles de mes amis.

Ils étaient au rendez-vous. François serait là pour m'appuyer, si besoin était. Il avait des journées hyper-chargées – et c'était tant mieux, puisque ainsi il ne pensait alors pas trop à Miro et à son chum, toujours en Chine – mais il répondrait à mes appels s'il y avait urgence. Il me conseillait aussi de consulter ma notaire et surtout de vérifier mes comptes de taxes. Sur ces derniers, je trouverais le détail des montants assignés à l'eau et aux eaux usées.

Lulu, pour sa part, était désolée pour moi et me donnait le même type de conseils que mon ami François. Elle me disait également de tenir le coup, ajoutant que j'avais déjà essuyé d'autres imprévus qui n'étaient pas piqués des vers, que je m'en étais sortie la tête haute et que, au final, c'est moi qui avais gagné.

Je me dirigeai vers mon bureau avec mon café et sortis à nouveau le dossier de la maison jaune. En plus des plans, des papiers officiels, de l'acte de vente, de la déclaration du vendeur, je découvris le dossier des factures des travaux déjà exécutés sur la maison. Il était énorme. Je m'assis, totalement découragée. J'avais déjà payé tous ces montants pour les rénovations et les embellissements ! Heureusement que j'avais eu l'héritage de ma bonne amie Simone. Mais aujourd'hui il avait presque fondu. Il y avait bien un petit coussin que j'avais eu la prudence de placer et qui devait grossir avec les intérêts, mais j'avais espéré l'utiliser pour quelque chose de plus excitant qu'un nouveau système d'égouts ! Et surtout, je me désolais à la pensée de ma belle Simone, toujours de bon conseil, mais qui n'était plus là pour me rassurer.

J'éparpillai les documents sur la table de travail et ne trouvai aucun relevé de la Ville. Où est-ce que j'avais rangé ces papiers ? Je mis tout sens dessus dessous. Ma table de travail et mon bureau avaient des allures d'après-cambriolage, quand tout a été laissé pêle-mêle.

— Tu veux que je t'aide ? me proposa Marie, l'œil encore endormi.

Elle tenait Raffie dans ses bras. Cette dernière gigotait comme un petit animal qui aurait voulu courir partout, bien qu'elle ne sache pas encore marcher. Elle balbutiait sa joie d'être hors du lit et semblait prête pour une nouvelle journée de découvertes et d'aventures.

— Non ! Je verrai ça tout à l'heure, lui dis-je. Il est quelle heure ?

— Je n'arrive pas à le croire. Raffie a dormi tout ce temps. Il est neuf heures et demie, dix heures moins le quart.

Je sursautai.

— Déjà ! Il faut que je passe quelques coups de fil.

— Je vais préparer le déjeuner. Tu n'as pas mangé ?

— Non. Je n'ai pas très faim, remarque.

— Je vais te préparer des fruits, du yogourt, un peu de pain.

— Ne fais rien de spécial. J'arrive.

J'empoignai le combiné du téléphone et appelai le comptable.

Le comptable se trouvait au bureau, et mes comptes de taxes s'y trouvaient également. Et, surprise... aucun d'entre eux ne faisait mention d'une taxe sur les eaux usées.

— Et qu'est-ce que ça veut dire, ça ? demandai-je, totalement affolée.

— Ça veut dire, ma belle, que selon tes relevés de taxes, tu reçois les services de la ville pour l'eau courante, mais pas pour les eaux usées. Pas pour les égouts.

— Comment ça se fait que je n'ai pas vu ça avant aujourd'hui ?

— Olivia, c'est la première fois que tu habites la campagne et tu m'envoies les factures directement, parfois sans les ouvrir. Tu ne pouvais pas savoir. Sur tes comptes précédents, quand tu demeurais à Montréal, ça n'était pas mentionné dans le détail. C'était un relevé de taxes global. Moi-même, je n'ai pas fait attention.

— Ça pourrait être un oubli de leur part ? suggérai-je, d'une petite voix pleine d'espoir.

— Hum... ricana le comptable. Depuis que je fais ce métier, je n'ai jamais vu une administration se tromper lorsqu'il s'agit de réclamer son dû. As-tu parlé à ton notaire ?

— Elle doit me rappeler ce matin.

— Appelle le service des taxes de ta municipalité. Mais j'ai bien peur qu'ils te disent la même chose que moi. Ben, ma belle, t'en as pas fini avec ta maison jaune ! Avec tout ce que tu as déjà investi dedans... C'était pas mal gros, mais là, tu es vraiment...

— Oui, je sais. Je sais. Je suis vraiment dans la merde !

23

La débâcle avait commencé. Je me sentais entraînée dans un tourbillon sans fin et j'avais beau me braquer, mettre les freins, m'accrocher à mon rêve de jolie maison, rien ne marchait. Je me précipitais malgré moi dans le vide. Je passais des heures au téléphone à tenter de joindre toutes les personnes qui auraient pu savoir quelque chose sur le drame qui était le mien. Comment se faisait-il qu'on ne trouvait pas ce fameux branchement ? Sur papier, je pouvais comprendre qu'il n'y avait aucune trace des canalisations. Les relevés sont parfois ainsi. Il n'y avait pas plus d'indications sur l'emplacement de la fosse septique. Mais sur le terrain ? On avait pourtant fouillé le jardin de fond en comble, suivi les tuyaux pour n'aboutir qu'au branchement de l'eau. Qu'était-ce à dire ? Un branchement aux égouts, ça ne disparaît pas comme ça ! Je joignis l'agent immobilier en premier. Ce dernier était estomaqué. Lui-même n'arrivait pas à croire ce que je lui apprenais. Il se déplaça pour me donner le document que j'avais déjà et qui lui avait servi à préparer l'inscription de la vente de la maison. Il affirmait ne rien y comprendre. Voulait-il se justifier ? Tenter d'effacer un oubli ? Une erreur ? Difficile à dire. Je manquais d'air. Mon cœur battait à tout rompre. Je ne savais comment me sortir de cette impasse. Et une question me taraudait : m'étais-je fait rouler en faisant l'acquisition de la maison ?

Sur ces entrefaites, François passa me dire bonjour. Il avait meilleure mine. Il venait de recevoir sur son téléphone portable des nouvelles de sa petite famille. Une photo éclatante de bonheur sur laquelle apparaissait le petit Miro dans les bras d'Albert, tous les deux riant aux éclats. Les yeux de l'enfant étaient aussi brillants que ceux d'Albert.

— Ça y est, exulta François. Il va beaucoup mieux. C'est une question de jours avant qu'il puisse quitter l'hôpital. Et les démarches à l'ambassade pour le faire sortir du pays vont bon train. Albert a trouvé sur place un ange qui lui facilite la vie.

Je le pris dans mes bras tant il faisait plaisir à voir. Son cœur s'apaisait tandis que le mien s'affolait.

— Toi, tu as des nouvelles de…

— De Bernardo ? Oui. Il va bientôt venir passer quelques jours.

Mais pour l'instant, mes préoccupations étaient autres. Comment avais-je pu négliger une chose aussi élémentaire ? Étais-je aveugle ? Inconsciente ? Pas très organisée ? Complètement stupide ? François me rassura en écartant tout d'abord chacun des qualificatifs que je m'attribuais.

— Arrête de te flageller de la sorte. Un : ça ne te donnera rien de plus. Et deux : personne n'a rien vu. Ni l'agent immobilier ni la notaire. Ni même aucun d'entre nous, qui avons visité cette maison je ne sais plus combien de fois. Tu te rappelles ? On aurait dit une caravane qui venait inspecter les lieux. Et on a posé un nombre incalculable de questions à l'agent. On voulait tous te protéger pour que tu ne te fasses pas arnaquer. Écoute, Lulu était là, moi aussi, Henri, ton fils, Massimo également. Albert m'a dit plus tôt au téléphone qu'il avait personnellement posé la question à l'agent immobilier. As-tu regardé dans les papiers de *listing* ?

Je l'assurai que j'avais vu et revu chaque page des documents officiels. C'était écrit noir sur blanc sur la déclaration du propriétaire que la maison que j'achetais était bel et bien branchée aux égouts de la ville.

— La notaire, ajoutai-je, a préparé les documents en conséquence. Elle m'assure que tout était conforme au moment de la signature. Ça voudrait donc dire que, légalement, ma maison est branchée aux égouts de la ville, mais que, dans les faits...

Je m'arrêtai de parler tant j'étais submergée par une vague d'angoisse. L'air n'arrivait plus dans mes poumons, mes genoux fléchissaient tout seuls. J'avais envie de pleurer comme une enfant.

— Est-ce que ça voudrait dire que quelqu'un a menti ? demanda Marie, qui venait d'entrer dans la pièce.

— Pour ma part, je suis convaincu que l'ancien propriétaire a caché quelque chose, répondit François. Ou alors, il a fait cette déclaration de bonne foi et il s'est fait passer un sapin, lui aussi, en faisant l'acquisition de la propriété. Sinon, il ment.

— Voyons donc ! m'objectai-je. Il a eu cette maison pendant plus de vingt ans. Et il ne serait pas au courant de quelque chose d'aussi important ? Ça n'a pas de sens.

— Moi aussi, je trouve que ça n'a aucun sens, mais ce serait pas la première fois qu'on entend parler de choses insolites et graves sur l'achat d'une maison. Pense juste à notre ancienne demeure. Le propriétaire avait déclaré que, sous les tapis, il y avait des planchers de bois. Il n'y avait que du ciment sous le tapis. Il nous a joué la grande scène du : « Je n'étais pas au courant ! Mon Dieu ! Comment est-ce possible ? Je vous jure que je n'en savais rien. »

L'imitation que François faisait de l'ancien vendeur avait quelque chose de vraiment drôle. Marie lui demanda alors comment ils s'étaient sortis de cette situation.

— Heureusement, on avait un excellent agent immobilier. Il a fait baisser l'offre d'achat en conséquence. Le vendeur n'a pas eu le choix. C'était ça ou on n'achetait pas.

Il ajouta qu'après cela ils avaient toujours peur de faire d'autres découvertes désagréables.

— Ça arrive tout le temps, ce genre d'affaires pas claires.

— Mais pas à moi, dis-je, butée. Je ne veux pas que ça m'arrive à moi. J'aime cette maison, mais je n'aurai plus les moyens de l'entretenir et de la garder s'il survient sans arrêt des pépins de cette taille. Et tout ce que tu racontes n'a rien pour me rassurer, ajoutai-je, à nouveau au bord de la panique.

— Et à la Ville ? questionna François.

— Je n'ai réussi à voir personne. J'ai pris rendez-vous pour demain. Et cet après-midi, le plombier revient avec un entrepreneur ; ils viennent terminer leur travail de tranchées. Ma propriété ressemble encore à Beyrouth… en temps de guerre. J'en peux plus.

Et j'éclatai de rage :

— J'étais venue habiter dans ce village pour me reposer. Pour vivre en paix. Pour respirer l'air frais et le calme. Pas vivre avec des égouts à ciel ouvert ; et surtout pas sur un champ de bataille. Pis je ne peux même pas me débarrasser de la maison dans l'état actuel. Il faut que je règle ça avant si je veux la vendre.

— Tu veux vendre ? s'exclamèrent en même temps Marie et François.

— Oui. Oui. Je veux vendre. Non. Je ne veux pas. C'est ma maison. Je ne sais plus. Je suis fatiguée de tout ça. Par moments, j'en arrive à l'haïr tellement elle me fait des misères.

L'émotion me serra la gorge.

François s'approcha doucement et me prit dans ses bras.

— Tut… tut… murmura-t-il. Un jour à la fois, ma belle.

Il avait coutume de prononcer cette maxime quand les choses allaient vraiment mal.

— Répète après moi : « Un jour à la fois. »

— Un jour à la fois.

— Un pied devant l'autre.

Je m'exécutai.

— Pis… *Inch Allah,* tabarnak !

Ce qui nous fit beaucoup rire, Marie et moi. Je me détendis un peu.

Puis il m'encouragea à faire toutes les vérifications, à revoir ma notaire et à prendre une décision éclairée par la suite.

— Tu sais, ajouta-t-il, des circonstances de ce genre ont toujours l'air pires qu'elles ne le sont en fait. On imagine souvent des catastrophes là où il n'y en a pas.

L'intervention de François eut un effet magique. Je pris conscience que mon problème était de peu d'importance. On ne parlait pas de maladie ni de mort ; et encore moins d'un petit enfant retenu de l'autre côté de la Terre contre son gré et d'un papa géant qui se faisait tout petit en l'attendant.

24

Il s'en venait. Il serait là dans quelques jours ; pour quelques jours seulement. J'en tremblais. À la fois d'euphorie et de frousse. Bernardo venait me rejoindre. Je frissonnais presque à l'idée qu'il me touche et, en même temps, je frémissais au souvenir difficile de notre dernière rencontre où, pour la première fois, nous étions enfin réunis dans une vraie chambre, et où il avait perdu tous ses moyens. Il avait résulté de ce tête-à-tête de la gêne, un terrible malaise et beaucoup de tristesse de part et d'autre. Et c'est sur ce malentendu qu'on s'était laissés, avec la pensée que ça ne pourrait jamais marcher entre nous. Chose certaine, notre flamme lui plaisait, tant qu'elle ne se vivait pas au grand jour. Des tonnes de baisers volés dans la voiture ou sous les portes cochères, des caresses sous la jupe ou sous la table, mais à l'abri des regards ; des empoignades passionnelles dans le foin de la grange, dans l'oliveraie, dans les champs de coquelicots. Mais jamais dans des lieux où l'on pouvait être vus. Cette petite chambre d'hôtel qui nous donnait toute l'intimité voulue avait eu un effet dévastateur, comme si elle représentait la légitimité, donc une certaine forme de devoir, d'engagement. Ce que Bernardo pensait vraiment de ce moment de malaise, je n'en savais rien. On avait évité la question, en occupant nos temps libres à de petits riens, à des bêtises, à des visites de touristes ; puis, il m'avait conduite à l'aéroport sans que le sujet ne soit abordé. Maintenant, nous retrouver enfin seul à seule était ce que je désirais plus que tout.

Je restai au lit dans ce petit matin qui s'annonçait déjà chaud. La maisonnée dormait encore. J'étirai le temps comme je pouvais. Je savourai la petite brise que me procurait le ventilateur du plafond et qui chassait la moiteur des draps. La sortie du lit, ces jours-ci, ressemblait trop à une course d'obstacles pour que j'aie envie de l'affronter de sitôt. Il y avait tous ces coups de fil à passer, ces constats à faire, ces déceptions à avaler et cette angoisse qui me mordait le ventre en permanence et que je n'arrivais pas à calmer. Ainsi préférais-je rester allongée et songer à Bernardo.

Mais juste l'idée d'être de nouveau avec lui, tout contre lui, me fit trembler de tout mon être. J'avais envie d'attraper son regard, de toucher sa joue burinée par le soleil italien, de prendre sa main râpeuse pour savoir… Cet homme m'avait saisie au vol et m'avait atteinte dans ce que j'avais de plus sensible, de plus vrai. Un peu comme si l'un de ses doigts m'avait touché l'intérieur du cœur pour le faire battre à nouveau. D'un regard, il avait allumé mes yeux qui dormaient dans la pénombre, d'un geste, il m'avait enveloppée comme s'il me murmurait : « Viens. C'est ici, tout contre moi, que tu dois te trouver. » Et le pire, c'est que je n'avais absolument pas envie de faire marche arrière, de me débattre avec les raisons qui m'incitaient à le fuir. Je me sentais comme l'eau de la mer qui arrive contre un rocher et qui fracasse tous les doutes, toutes les peurs. Qui, dans un mouvement très doux, y glisse son corps fatigué ; l'eau se retire un peu pour découvrir l'immuabilité du roc solide et n'a qu'un désir, s'y précipiter de nouveau pour s'ébattre dans un tourbillon joyeux, éclaboussé de rire. Et recommencer ce manège rempli de béatitude, encore et encore et encore.

« Oh ! Me voilà drôlement poétique ce matin, me dis-je. Où est passée la féministe en moi ? Cette femme qui d'habitude est sans appel face aux exigences des partenaires et qui prône si fort l'indépendance de chacun ? Tu ramollis, ma vieille. Ou alors, te voilà très amoureuse. Mais pas à la manière d'avant. »

Qu'est-ce qui m'avait amenée là ? Était-ce la sagesse ? Un trop-plein de fatigue ? Un ras-le-bol effrayant ? Ou tout simplement un amour différent, mature ? Je me voyais pourtant bien vieillir dans ma maison jaune, avec mes deux chats, mon jardin, mon travail, mes amis. Sans amour. Et voilà que…

Et voilà que Raphaëlle réclamait l'attention à pleins poumons.

Je me précipitai pour l'empêcher de troubler le sommeil de sa maman. De son berceau, la petite me tendit les bras. Elle était en nage, ses joues étaient rouges de fièvre et ses yeux se refermaient tout seuls. Je la pris aussitôt dans mes bras pour la consoler. Sa petite tête retomba sur mon épaule. Elle était brûlante. Je chuchotai à Marie de se rendormir, que je m'occupais de tout, et je quittai la chambre en direction de ma salle de bain. La petite grelottait dans mes bras. Elle se frottait les yeux, semblait ne pas savoir ce qu'elle voulait et grugeait son poing, qu'elle tenait en permanence entre ses gencives. Nous faisait-elle une percée de dents ?

Je lui enlevai son pyjama, qui était tout mouillé de sueur, et changeai sa couche ; après quelques jours de pratique, les choses se passaient beaucoup mieux. Je pris une petite camisole et un pantalon de coton dans la pile de linge que j'avais lavé, plié, mais que je n'avais pas eu le temps de ranger la veille. Elle se laissait faire, docile, fiévreuse. Je cherchai désespérément la petite trousse de médicaments apportée par Marie et Vincent. Puis je me souvins de l'avoir vue dans la cuisine.

Je repris Raffie dans mes bras et nous descendîmes au rez-de-chaussée.

Une fois dans la cuisine, la petite pouvait hurler tout son soûl, Marie n'en serait pas incommodée. Comme si Raphaëlle avait saisi ma pensée au vol, elle se mit à crier à tue-tête. J'avais oublié ce que sont ces hurlements de détresse quand les petits ont mal. J'arrivai finalement à badigeonner ses gencives d'une huile apaisante. La chose ne se fit pas sans heurts. J'en renversai une partie sur le comptoir et l'autre sur sa camisole. J'avais aussi oublié qu'aussitôt qu'un bébé est propre, il faut déjà le changer et le nettoyer. Et Raffie se calma, enfin. J'avais intérêt à garder à portée de main cette fiole magique au cours de la journée. À condition de ne pas tout renverser chaque fois. En passant mes doigts sur ses gencives, je sentis poindre des « criques », comme disait ma mère. Ils étaient minuscules, ces petits crocs, mais à peine poussés, ils étaient prêts à mordre dans la vie.

Quelques biscuits à mâchouiller, un peu de lait, et voilà ma petite-fille apaisée. Pour quelque temps, du moins. Un grand café au lait, un bout de pain grillé, et me voilà rassasiée. Non. C'est faux. Je n'étais pas rassasiée pour autant. J'étais tellement en colère contre ce qui m'arrivait que j'avais envie de tout dévorer. La vue désolante du terrain retourné dans tous les sens, au lieu de m'enlever l'appétit, me forçait à mordre dans tout ce qui me tombait sous la main. Et la venue de Bernardo me troublait à un tel point que j'essayais de contrôler mon appétit. Il fallait qu'il me retrouve aussi belle qu'avant. Alors, je résistais du mieux que je pouvais. Légumes, salades, fruits et un peu de protéines. Mais c'était tellement difficile de ne pas goûter aux récoltes de l'été et aux saucissons, aux côtelettes dégoulinantes de saveur, aux tartes aux tomates ou aux petits fruits… Stop !

Une chance que mes copines s'inquiétaient pour mon tour de taille. Avant – avant quoi, d'ailleurs ? –, je faisais très attention à tout ce que j'ingurgitais. Je me surveillais constamment et je vivais les plaisirs de la table en constante culpabilité. J'avais toujours peur de ne pas avoir le corps qui plairait. Jamais le bon. Je n'étais pas la seule à m'adonner à ce sport extrême. Je crois fermement que la plupart des filles agissent de la sorte, et à tout âge. Nous ne sommes jamais adéquates. Pas assez grandes, pas assez minces, pas assez ceci ou cela. On en prend l'habitude dès l'âge tendre, alors qu'on ne devrait se soucier que de notre intelligence, de nos aptitudes, et s'efforcer de jouer, de jouir de la vie et de rire tant qu'on peut. Tout est constamment passé à la loupe. La taille, le galbe du mollet, les genoux cagneux, le système pileux. Les yeux pas assez grands, les mains qui le sont trop, elles. Ça va jusqu'aux cils pas assez fournis, aux lèvres pas assez pulpeuses, au nombril trop creux, aux pieds trop longs… et j'en passe.

Bonté divine ! Qu'on se fait la vie dure. Je regardai Raphaëlle en espérant de tout mon cœur qu'elle ne tomberait pas entièrement dans ce piège. Je lui fis la promesse, en ce petit matin d'été, que je veillerais à ce qu'elle apprécie tout d'elle-même ; ou qu'elle se foute au plus haut point des manques et des surplus insignifiants. Je ferais tout pour qu'elle s'aime telle qu'elle est.

Je pensai à Bernardo. C'est ça que j'aimais avec lui. Il me désirait telle que j'étais. Ça faisait toute la différence du monde. Il ne semblait pas me vouloir différente. Blonde, grande, ultramince, alors que je ne le suis pas et ne le serai jamais. On accepte bien les hommes chauves, avec une petite bedaine, pas trop sportifs. Alors, pourquoi est-ce qu'on n'agit pas de la sorte avec notre propre corps ? Grande question que je ne pourrais pas régler entièrement ce jour-là. Il y avait des problèmes inhérents à ma propriété, et les dommages collatéraux qui s'y rattachaient, même s'ils avaient à peu près la même envergure que ceux des filles qui ne s'aiment pas, s'avéraient beaucoup plus urgents. J'allais donc m'attaquer à ceux-ci en premier. Et savourer le fait que mon amant me désire telle que je suis. Mais je ne repris quand même pas une deuxième rôtie avec fromage ou confiture. Je ne voulais pas tenter le destin et je fis comme toutes les autres : je me serrai, une fois de plus, la ceinture.

25

Marie se leva juste au moment où je m'attaquais à ma série d'appels téléphoniques pour faire avancer le dossier « égouts ». Raphaëlle s'était rendormie sur le divan du salon. Sa rage de dents ne semblait plus l'incommoder autant. La blonde de mon fils se sentait coupable d'avoir autant dormi et de ne pas avoir entendu la petite. Je la rassurai.

— Ma belle, c'était ça, l'idée : que tu viennes te reposer un peu à la campagne. Raphaëlle n'est pas une corvée pour moi. Bien au contraire. Elle m'apporte beaucoup de joie. Toi aussi, d'ailleurs.

Elle me regarda, étonnée.

— On se connaît pas beaucoup. Ta présence me permet d'apprécier la femme et la mère formidable que tu es.

Sans plus attendre, elle se précipita dans mes bras et me serra contre elle avec tendresse. Elle avait les yeux pleins d'eau. Elle était si touchante dans son pyjama de coton parsemé de lapins. Une petite fille trop douce.

— Merci. Merci, me dit-elle. J'aurais dû venir avant. Je me sens déjà tellement mieux !

— Cette maison, c'est aussi la tienne, lui chuchotai-je.

Je lui donnai un baiser sonore sur la joue et lui offris de préparer pour elle un copieux déjeuner avant que je commence ma série d'appels au secours. Elle dévora les crêpes que je lui servis nappées de sirop d'érable. Je les reluquais tour à tour avec envie, chaque fois que j'en déposais une dans son assiette, mais je résistai. À son âge, on peut tout manger. C'est après que ça se complique. Elle était vraiment jolie avec ses cheveux en broussaille et ses joues roses.

— Vincent va venir vendredi.

— Il te manque ?

Elle fit un grand signe de la tête. Ses yeux étaient rieurs et sa bouche, gourmande. Mon fils était chanceux d'avoir une telle fille dans sa vie. J'espérai en cet instant qu'ils ne se feraient jamais de peine, ces deux-là. Ils s'aimaient si fort.

À l'hôtel de ville, quelqu'un acceptait de me rencontrer à onze heures, et la notaire m'attendait en début d'après-midi. Je décidai de me rendre à ces deux rendez-vous à pied. J'appréciai, une fois de plus, la beauté de mon village, qui était magnifique en toute saison. Je rencontrai quelques personnes qui promenaient leur chien ; je croisai le coureur du village à l'aller, et le marcheur au retour. Le premier est un jeune homme mince, musclé, les cheveux blond-blanc, qui court. Il court, quel que soit le moment de l'année ; beau temps, mauvais temps, il court. Il ne reprend que rarement son souffle. Il avance avec l'énergie du désespoir. Les gens disent qu'il souffre d'une forme d'autisme et qu'il a besoin de cette course en avant pour se sentir bien. L'autre, le marcheur, c'est un vieux monsieur qui pousse devant lui sa marchette. Lui non plus, les saisons ne semblent pas l'effrayer, ni le temps qu'il fait. Il marche. Droit devant. Il porte un dossard pour qu'on le voie bien. Et il avance avec sa marchette, sur laquelle repose un petit panier qui doit contenir tout ce dont il a besoin durant ses déambulations. À leur rencontre, je me fis la réflexion que, la vie, c'est en avant que ça se passe. Je devais aller vers l'avant, moi aussi. Et régler cette histoire de fous au plus vite.

À ma première visite, je constatai qu'il n'y avait plus de doute possible. Le représentant de la ville de Lac-Brome me démontra, sans équivoque, que ma propriété n'avait jamais été branchée aux canalisations des eaux usées de la municipalité ; j'étais équipée pour recevoir l'eau courante seulement. Ça voulait donc dire que la propriété était connectée à la fosse septique de l'atelier. Et, qui plus est, tout ça n'était pas conforme, parce que la fosse septique utilisée était trop petite.

— Je suis donc dans l'illégalité et je m'en suis fait passer une belle par l'ancien propriétaire, si j'ai bien compris, déclarai-je d'une voix peu assurée.

— On peut résumer ça comme ça, répondit l'employé de la Ville. Vous savez, ajouta-t-il, les propriétaires sont libres d'accepter le branchement à l'aqueduc proposé par la municipalité. Votre voisin immédiat l'a refusé. Il possède une fosse septique et un champ d'épuration.

— Ça veut dire, ça, que l'ancien propriétaire était au courant ?

— Je ne dirais pas ça comme ça, énonça-t-il, prudent. Ce propriétaire, on le connaissait tous ici. Ça lui a peut-être échappé. Il a possédé cette maison durant combien d'années déjà ?

— Vingt et un ans, répliquai-je.

L'homme devant moi secoua simplement la tête de droite à gauche alors que se dessinait sur sa bouche un petit rictus plein de sous-entendus. Il n'avait pas besoin d'ajouter grand-chose. Mais il le fit quand même.

— Mais ne vous inquiétez pas, madame Lamoureux. Dans un cas comme celui-ci, vous aurez tout le temps pour corriger la situation. Moi, je vous suggère de consulter un avocat au plus vite.

Il se leva pour me signifier que la rencontre était terminée.

— Bonne chance, ma p'ti...

Je le foudroyai du regard. Pas un autre ! Mes yeux avaient de quoi enflammer d'un seul coup les trois poils qui se couraient après sur sa tête et faire fondre immédiatement ses lunettes ; et, tant qu'à y être, brûler tous les documents de son beau bureau de fonctionnaire. Surpris et effrayé par mon air belliqueux, il recula vers sa chaise, perdit l'équilibre ; il tenta de se retenir à sa table, mais tomba assis, les lunettes de travers. Il se rétracta, rouge comme une tomate.

— Be... bonne chance ! me dit-il simplement.

Je sortis du bureau, les bras chargés de documents et de conseils, avec un grand poids sur les épaules et un air de furie.

*

— Moi, je vous suggère fortement de consulter un avocat et le plus vite sera le mieux, reprit en refrain ma notaire, avec un air contrit.

Nous étions dans son bureau depuis une bonne demi-heure. Elle avait eu beau retourner dans tous les sens les documents officiels, il y avait bien cette mention qui affirmait que la propriété était rattachée aux canalisations de la municipalité.

— Il y a ici un manquement grave. J'ai consulté l'agent immobilier qui s'était occupé de l'achat. Lui aussi s'est servi de cette mention pour la préparation de l'offre de vente. Vous auriez intérêt à consulter un avocat. Vous êtes devant un cas majeur de vice caché.

Elle me donna quelques noms et les coordonnées de personnes compétentes qu'elle connaissait dans la région. Tout en me précisant que c'était aussi très délicat, puisque dans les petits villages, tout le monde se connaît. Quelqu'un de l'extérieur ferait peut-être mieux l'affaire.

Bien entendu, tout le monde connaît tout le monde, dans ce village. L'agent immobilier est peut-être même un des amis de l'ancien propriétaire et, qui sait, se trouve peut-être aussi être un membre de sa famille.

Elle me reconduisit à la porte en me souhaitant bonne chance.

« Je vais en avoir besoin, de la chance. J'aurais aussi besoin de pas mal d'argent pour régler tout ça », songeai-je. Tout à coup, j'éprouvai l'envie de courir à toutes jambes, comme le jeune coureur de mon village, de m'enfuir pour enlever l'angoisse qui m'étreignait la poitrine, et en même temps je savais que, tout comme le vieil homme qui marchait un petit pas à la fois, j'avais besoin d'une marchette pour me soutenir, tant j'avais les jambes sciées devant la catastrophe qui m'arrivait.

Après plusieurs coups de téléphone dans des cabinets d'avocats de la région, tous aussi inutiles les uns que les autres, je pris la décision de consulter François. Il m'assura connaître l'homme qui me sortirait sûrement de ce mauvais pas avec succès.

— Ses services ne sont pas donnés, me précisa-t-il.

— Est-ce que j'ai le choix ?

— Non. Je ne crois pas. Appelle-le et donne-moi des nouvelles.

Ce que je fis sans tarder.

La voix était avenante au bout du fil. Précise et engageante. L'écoute l'était aussi. J'étais en confiance. L'avocat m'affirma que ce dossier était tout à fait dans ses compétences. Dans un premier temps, il allait rédiger une lettre pour signaler le problème à l'ancien propriétaire.

— Et vos tarifs ? m'informai-je, quelque peu inquiète.

— Je demande quatre cents dollars l'heure.

— Pardon ? m'exclamai-je d'une voix étranglée. Combien ?

Il répéta le montant sans la moindre hésitation. Je faillis perdre connaissance.

26

Je partis en trombe. Il faisait un soleil magnifique. Avant d'atteindre le bout du chemin, parsemé de grands arbres dont les cimes se rejoignent au-dessus de nos têtes, je jetai un dernier coup d'œil dans le rétroviseur. Marie et Vincent se tenaient serrés sur la terrasse et me faisaient des signes de la main. Ils portaient la petite dans leurs bras et ils tenaient sa menotte pour qu'elle apprenne à faire des « tatas ». Derrière moi se trouvait ma famille réunie. Mes trésors. Je leur abandonnais la maison pour un week-end. Je laissais également derrière moi tous mes soucis d'argent, mes ennuis de propriétaire et mes angoisses de mère et de grand-mère. Devant moi m'attendait Bernardo, que j'allais rejoindre. Je volais, sans remords aucun, vers celui qui, je l'espérais, allait devenir mon dernier grand amour. Je roulais vers Québec.

Comme il avait eu toutes les difficultés du monde à dénicher un billet de dernière minute, puisque la période des vacances était largement avancée, mon chéri italien s'était rabattu sur ce qu'il avait pu trouver. Un billet Rome-Québec plutôt que Rome-Montréal. C'était ça ou il restait en Italie, et moi, seule avec mes soucis.

Je tenais le volant et je tremblais. Et ce n'était pas les camions qui fonçaient à pleine vitesse qui me procuraient cette sensation. Je tremblais à la seule pensée de le revoir. Je voulais, plus que tout au monde, poser mes yeux sur lui à nouveau. Depuis que je l'avais rencontré en Toscane, une boule de feu s'était logée dans mon ventre et elle ne semblait pas vouloir s'apaiser. C'est fou comme on a le cœur léger lorsqu'on se rend à un rendez-vous amoureux.

Drummondville. Je m'approchais.

Ces derniers temps, un oiseau que je n'avais pas croisé souvent dans ma vie semblait avoir pris refuge dans ma cage thoracique, et il s'affolait à toute heure du jour et de la nuit. Il labourait ma chair de ses pattes; il prenait tout mon air et, lorsqu'il déployait ses ailes, il frôlait mon cœur qui bondissait et mon ventre qui hurlait. Le volatile exécutait une danse que je ne connaissais pas et qui me rendait fébrile et fragile tout à la fois. Je m'adressai à lui doucement, je tentai de le calmer, il n'en faisait qu'à sa tête; il avait élu sa demeure dans ma poitrine et comptait bien y rester. Je crois que cet oiseau de malheur fait partie de la famille des «émois». Ces oiseaux rares et tendres qui nous mettent dans tous nos états, nous chavirent et ne nous laissent aucun repos.

Tout au long de l'autoroute 20, je suppliai mon oiseau de bonheur de me laisser respirer, de se contenir. J'essayai de l'empêcher de crier, tantôt de joie, tantôt de peur. Mon bel oiseau, mon émoi faisait tous les temps.

À cause de ce maelström, de cet oiseau captif dans ma poitrine, j'arrivai à l'aéroport Jean-Lesage, à L'Ancienne-Lorette, les jambes flageolantes. Je n'avais même pas pris le temps de vérifier mon allure dans le miroir de la voiture. J'étais totalement excitée, c'est tout. Et dire que j'avais recommencé mon maquillage à plusieurs reprises, refait trois fois ma valise, emportant beaucoup trop de vêtements – au cas où il ferait froid, au cas où il ferait chaud, au cas où...

etc. –, alors que j'avais rendez-vous avec mon amant dans une chambre d'hôtel et que, si tout se passait bien, je n'aurais pas beaucoup à me vêtir au cours de ce week-end d'amoureux.

Lorsque Bernardo apparut à la sortie, passant les portes givrées avec son sac de voyage, mon être tressaillit. Vêtu de pied en cap de bleu gauloise, ce qui rendait son teint hâlé encore plus prononcé, avec son visage heureux, ses yeux *frizzanti*, si pétillants, et son grand sourire tout blanc, il était magnifique. Encore plus beau que dans mon souvenir. Il déposa son sac pour me prendre dans ses bras. Et tout se calma en moi. J'avais l'impression d'entendre mon « émoi » ronronner, si tant est que ce type d'oiseau agisse de la sorte.

Je lui dis juste que j'étais tellement contente de le voir. Il m'embrassa comme si je l'avais laissé la veille. Je sentais, néanmoins, une certaine agitation en lui. Je sus tout de suite que nos oiseaux personnels s'entendraient à merveille. La même excitation, la même nervosité, la même fébrilité et, qui sait, le même trouble.

Je roulai rapidement pour sortir du stationnement de l'aéroport. C'était sa première visite dans la ville de Québec. Aussitôt que la chose fut possible, je quittai l'autoroute pour longer le fleuve sous les ponts, en empruntant le boulevard Champlain. L'eau scintillait et quelques voiliers y glissaient à faible vitesse. Il fut impressionné par la vue, par les grands pans de rochers, par les édifices d'un autre âge.

Je l'emmenai directement à l'hôtel. Le Germain-Dominion, un ancien édifice en pierre de taille, établi depuis plusieurs années rue Saint-Pierre, en plein cœur de l'arrondissement historique du Vieux-Port. J'avais choisi pour nos deux jours d'amour cet hôtel de charme où j'avais eu l'occasion de séjourner lors d'un salon du livre. Je n'avais pas oublié le hall si invitant avec sa grande cheminée, le personnel souriant, toujours aux petits soins, et surtout, surtout, les chambres douillettes, lumineuses, d'un goût exquis, qui nous font croire qu'on arrive enfin chez soi; un chez-soi qu'on ne veut plus quitter. Un lit immense paré de blanc qui nous tend les bras, une salle de bain digne d'un palace, comprenant une grande douche de verre prête à nous recevoir. Il avait fait si bon s'y lover toute seule, dans cette chambre, alors j'étais convaincue que, à deux, ce serait le bonheur assuré.

Le prix de la chambre n'était absolument pas dans mon budget actuel, mais je m'en fichais complètement. J'avais envie de ce havre de paix pour Bernardo et moi.

Aussitôt entré dans la chambre, il me prit par la main et on se laissa tomber sur le lit. Nos corps calèrent dans le moelleux. On resta allongés quelques minutes comme ça, sans rien dire. Mais j'entendais presque nos cœurs bondir très fort dans nos poitrines. Étaient-ce nos « émois » qui battaient des ailes ? Qui cherchaient à s'échapper de leur cage ?

Bernardo prononça quelques phrases en italien et je m'empressai de réclamer la traduction.

— Je crois qu'on sera très bien ici.

— Tu n'es pas trop fatigué ?

Il n'avait pas pu dormir durant le vol, coincé dans le dernier siège à l'arrière de l'appareil, endurant les bruits des chariots qu'on remplit et qu'on vide, des portes de toilettes qu'on ouvre et qu'on ferme, et le babillage constant du personnel de vol. Tout ça et le décalage horaire avaient eu raison de sa résistance.

— Mais pas assez pour ne pas profiter de ces deux jours avec toi, me murmura-t-il à l'oreille. Que dirais-tu d'une petite douche avec moi ?

Je ne me fis pas trop prier. J'hésitai quand même un peu à me dévêtir. Une certaine gêne, de vieilles pudeurs passées. Mais sa hâte à m'enlever tous mes vêtements et la mienne à faire glisser les siens sur le plancher de la salle de bain l'emportèrent sur mes hésitations.

Nos bras, nos bouches et l'eau fraîche. Toute la Toscane délicieuse et enivrante me revint d'un seul coup. Et tout le plaisir aussi. La douceur de sa peau, la fougue de ses mains, l'immensité de ses yeux. Je retrouvais le Bernardo des beaux jours, rieur, taquin et si grave à la fois.

On courut jusqu'au lit immense. On tira les draps blancs, si doux et frais ; on se laissa tomber sur le nuage de plumes. On était au septième ciel. Et on se prit, se reprit et se reprit encore, toujours assoiffés d'étreintes. Ses baisers me faisaient rire, ses mains me transportaient, son sexe nous amenait aux frontières inexplorées d'un désir insatiable. Il s'endormit finalement dans mes bras. Je le regardai dormir. Il était paisible, sa tête à l'abondante chevelure noire parsemée de gris en appui sur mon sein, sa grande main aux longs doigts fins sur mon ventre. C'était en quelque sorte notre première vraie nuit. Des jours, des aubes, des fins d'après-midi, nous en avions eu. Mais une vraie nuit, dans un vrai lit, c'était une première. Je serais restée là, dans ce lit, dans ses bras, pendant des années. À l'entendre respirer, à voir ses rêves passer sous ses paupières, à deviner son sourire au coin de ses lèvres. Puis il ouvrit ses grands yeux noirs, vifs, en me déclarant qu'il me trouvait belle, un peu trop amaigrie à son goût, et qu'il mourait de faim. Mais la seule idée d'avoir à nous rhabiller, à sortir de ce refuge à nul autre pareil nous répugnait et triompha presque du besoin imminent que nous avions de nous sustenter.

Bernardo composa le numéro de service aux chambres malgré l'heure tardive et se fit décrire les divers plats avant de choisir le repas, accompagné d'une bouteille de pinot grigio, mon vin préféré. Pendant cette conversation téléphonique, je m'étais éloignée du lit pour me rendre à la salle de bain, où se trouvaient, suspendus à des crochets, deux grands kimonos blancs brodés à l'effigie de l'hôtel. La sonnerie du téléphone me fit sursauter. Bernardo me cria de la chambre que l'appel était pour moi. Quel luxe ! Il y avait même un téléphone dans la salle de bain. Je pris le combiné ; une jeune fille à la réception me demanda si elle pouvait faire monter un bouquet de fleurs qu'elle venait de recevoir pour moi.

— Des fleurs ? m'étonnai-je. On peut me les apporter en même temps que le repas, lui répondis-je.

Et j'eus cette pensée idiote : « Qui peut bien m'envoyer des fleurs ? Personne ne sait que je suis ici ! »

Je reposai le combiné et je vis Bernardo dans le cadre de la porte qui me souriait.

*

Dans les heures qui suivirent, on ne fit rien comme personne. On mangea au lit, on fit l'amour dans la salle de bain et on visita la vieille ville de nuit.

Nous étions seuls, à part quelques promeneurs avec leur chien, et nous avions la ville pour nous. Bernardo me demanda des nouvelles de la maison jaune, qu'il avait hâte de découvrir. Je le mis au courant de la situation. Lui aussi sembla effaré des sommes qu'exigeait l'avocat.

— Est-ce que tu veux que je t'aide ? s'enquit-il aussitôt.

Je refusai catégoriquement, ce qui le blessa. Après tout, on se connaissait à peine. Je le remerciai de son offre et lui expliquai que je vivais seule depuis plusieurs années, que je m'étais toujours organisée seule, et que j'allais continuer à le faire. Je discernais en Bernardo le pourvoyeur, celui qui secondait, qui épaulait dans les moments difficiles. Cela me toucha. Et comme il avait du mal à comprendre les raisons de mon refus, je l'assurai que, si j'étais vraiment prise à la gorge avec cette histoire qui coûterait fort cher, je me tournerais sans hésiter vers lui.

Face au fleuve, nous parlâmes de ce qui nous arrivait. Nous peinions à terminer nos phrases. Les baisers remplaçaient les mots. Bernardo me chuchota à l'oreille, avant que nous réintégrions notre chambre, que dorénavant il ne pourrait plus se passer de moi. Moi aussi, j'aurais le même problème. Si tant est que c'en soit un. Amenez-en, de beaux problèmes de cette sorte, je les prends tous ! Nous composâmes notre deuxième journée de la même manière que la précédente, avec encore plus d'intensité, si la chose est possible. Il me força à manger à ma faim, comme il disait. Aussitôt sortis d'un restaurant, on entrait dans un autre. Il me répétait qu'il allait me remplumer.

J'avais hâte de raconter cette anecdote à mes copines, qui avaient si peur que Bernardo se sauve en courant devant mon tour de taille d'un autre siècle. Au moment de quitter le nid, Bernardo aborda enfin le sujet épineux de nos derniers jours quelque peu ratés en Toscane. Pour la première fois, il parla de lui. De son passé, de ses craintes. De la pression familiale qui était très présente. De la peur de s'engager dans une relation, de prendre le risque d'aimer à nouveau et de la possibilité de tout perdre également. Il me parla de sa femme, de la maladie qui l'avait emportée trop jeune. Je le rassurai. J'avais les mêmes craintes, j'avais les mêmes peurs que lui. Mais j'avais aussi follement envie de prendre ce risque, d'aimer peut-être pour la dernière fois. Je ne voulais pas passer à côté de ce cadeau du ciel. Je ne voulais pas passer à côté de cette chose fantastique. Il était d'accord avec moi. Il se sentait tout triste d'avoir fichu en l'air mes derniers jours en Toscane.

— Tu t'es bien repris, lui dis-je. Ça les vaut cent fois.

— Je risque d'avoir encore certaines craintes, me confia-t-il.

— Moi aussi.

— Je ne suis sûr de rien.

— Moi non plus.

En conclusion, il me promit qu'il allait tout essayer pour que nous deux, ça marche. Sur quoi je lui répondis que je le ferais, moi aussi.

Alors il m'allongea près de lui et, d'un geste vif, retira les couvertures et les draps. D'instinct, je mis tant bien que mal une main sur mes seins et l'autre sur mon sexe pour protéger mon intimité. Avec une grande douceur, il les écarta. J'étais là, offerte à sa vue. À vingt ans, je ne répugnais pas à montrer mon corps dans toute sa nudité. À trente et à quarante ans non plus. Mais depuis que j'avais atteint cet âge canonique qui est le mien, j'éprouvais une certaine gêne à m'abandonner à la vue d'un amant. Étant donné l'obstination de Bernardo, je n'eus d'autre choix que de lui faire ce plaisir. Il prit le temps de contempler chaque parcelle de mon corps, comme s'il voulait garder ces images bien imprégnées dans sa mémoire. Je n'oublierais jamais ce geste. Je me sentis jeune et belle comme jamais auparavant. Et je n'avais presque plus peur.

27

Mais où pouvait-il bien se trouver? J'avais beau regarder dans tous les recoins, sous les meubles, je ne le voyais plus. Je savais qu'il était encore là. D'abord, il y avait eu ce cri de détresse, puis Maxou et Rosie étaient entrés en trombe dans la maison pendant que je rangeais dans la cuisine; ils avaient failli défoncer la moustiquaire parce qu'ils essayaient de franchir la chatière tous les deux de front, tant ils étaient pressés de courir après leur proie. Puis il y avait eu cette course effrénée dans tous les coins du rez-de-chaussée. C'est seulement au bout d'un instant que je compris de quoi il s'agissait, lorsque je vis Maxou me regarder avec son petit air innocent, comme chaque fois qu'il venait de faire un mauvais coup. Dans ces moments-là, soit il faisait tomber toute une pile de livres ou de papiers, soit il camouflait quelque chose dans sa bouche. En général, c'était une petite souris, un mulot ou un oiseau. Et il prenait grand plaisir à déposer la bête à mes pieds, comme un cadeau ultime. Rosie faisait de même, mais elle, elle m'offrait des présents de catégorie supérieure. Cette petite chatte de rien du tout jouait dans les ligues majeures. Elle émettait des sons qui ne laissaient aucun doute sur l'identité de ses trouvailles. Je le savais à tout coup lorsqu'elle me rapportait un gros morceau. Encore fallait-il que je sois dans la maison, sinon, c'était la croix et la bannière pour retrouver la prise de mademoiselle. Il s'agissait, la plupart du temps, d'une grenouille de taille impressionnante ; je n'ai jamais compris comment elle parvenait à mettre un animal aussi gros dans sa petite bouche ; à d'autres occasions – et là, le cœur me manquait chaque fois –, c'était une couleuvre. Et tous ces cadeaux offerts avec amour… continuaient de bouger, de sauter, ou tentaient de s'enfuir à toutes pattes. Parce qu'il faut savoir que mes chats ne dévoraient pas leurs proies. Ils se contentaient de me les rapporter. J'essayais d'intervenir le plus rapidement possible pour que les bêtes indésirables ne puissent prendre leurs aises dans ma demeure, ni y installer leur petite famille, et surtout, pour les empêcher de vider entièrement le garde-manger. J'avais de beaux souvenirs de courses d'obstacles pour attraper un écureuil ou une chauve-souris qui ne voulait plus quitter les lieux. Je peux les comprendre, la maison est jolie, fraîche en été, bien chauffée en hiver, il y a plein de petits coins pour se nicher confortablement, la bouffe est fournie, et il y a également une salle d'exercice qui s'étend sur trois étages ! Que demander de plus ?

Mais cette fois-ci, j'avais bien l'impression qu'on venait d'ajouter un invité dans la maison jaune. La bête en question était introuvable. Tout ce que j'avais pu voir d'elle, c'était le bout d'une petite queue de tamia, qui pendait encore de la gueule de Maxou. Il avait dû l'arracher en tentant de capturer tout l'animal ; c'est qu'ils sont rapides, ces petits suisses. Mais il était où, le reste du trophée sans queue ? On n'allait pas y passer la journée ! J'avais bien d'autres choses à faire que de tirer de sa cachette un tamia à qui il manquait un bout. Et dans quel état serait-il quand je le découvrirais ?

Depuis que j'étais rentrée de Québec, les événements se succédaient à un rythme fou, alors que tout ce dont j'avais envie, c'était de ralentir le temps, de le suspendre même, pour rester dans le souvenir de ces jours heureux. Bernardo me manquait cruellement depuis que je l'avais retrouvé. Depuis que je savais. Un grand calme s'était emparé de moi. J'étais devant une évidence : je ne pouvais désormais plus me passer de cet homme, de ses yeux, de ses mains, de sa présence, de sa tendresse, de sa fougue. De son petit sourire en coin aussi, lorsqu'il se moquait gentiment de moi. De cette façon, également, qu'il avait de me regarder avec ses yeux de désir. Ses yeux qui me brûlaient la peau et me chaviraient. Je n'aurais jamais cru que cette belle chose fût encore possible. Avoir autant de désir pour une personne à mon âge. Depuis mon histoire avec Harris, j'avais mis l'amour sur la tablette la plus haute. Celle qu'on ne rejoignait pas facilement. La tablette inaccessible qui nous obligeait à prendre un grand escabeau pour l'atteindre, qui demandait des efforts, du temps, une certaine gymnastique qui mettait en péril notre équilibre et qui nous faisait finalement renoncer à récupérer cette chose, si belle fût-elle, car elle exigeait trop d'efforts pour un résultat pas toujours excitant. Alors, on abandonnait sans trop de remords, et on laissait dormir l'amour sur la tablette, tout en haut dans l'armoire des désirs fous. On savait qu'il était là, mais on n'était pas prêt pour autant à se donner toute cette peine pour aller le chercher, redescendre sur terre, développer le paquet dans lequel on l'avait si bien scellé et l'installer à nouveau dans notre vie.

Dans mes rêves les plus fous, je chérissais l'idée d'aimer une dernière fois avant de mourir. Mais je m'imaginais que cet événement devait arriver le plus tard possible, dans les derniers jours de ma vie. Comme je savais que l'amour était fragile et éphémère, je voulais être certaine que cet amour-là durerait pour la première et la dernière fois jusqu'à la fin.

Et voilà que Bernardo s'était présenté dans ma vie au moment où je ne m'y attendais pas. Un amour tout simple, presque tranquille, mais qui malgré tout retournait tous mes sens, m'envahissait de la tête aux pieds comme un tsunami qui aurait déferlé, me laissant sur la plage, haletante, sans défense aucune, tourneboulée, mais radieuse et étonnée qu'une telle chose puisse m'arriver.

Je chassai Bernardo de mes pensées pour un temps et remis ma chasse au tamia à plus tard ; j'avais des appels à passer, et mes copines Lulu et Allison venaient souper avec moi. J'avais toutes les courses à faire, du ménage et plein de lessive qui m'attendaient depuis le départ de Vincent, Marie et la petite. Je n'avais pas voulu qu'ils m'aident. Ils étaient venus se reposer et je constatai que ces deux jours sans moi, dans la maison jaune, leur avaient fait le plus grand bien. Tout le monde avait repris des couleurs ; Vincent avait retrouvé sa Marie d'avant et Raphaëlle avait enfin une nouvelle dent. Mon petit monde se portait mieux. Ils étaient repartis la malle arrière chargée de confitures, de sauce tomate au basilic et de conserves de toutes sortes. Ils s'étaient servis à même ma réserve dans la cave. Marie m'avait longuement prise dans ses bras avant de monter dans la voiture. Une nouvelle amitié venait de s'établir entre nous. Vincent m'avait rassurée pour les travaux à venir.

— Maman ! Laisse faire les spécialistes maintenant. Ils sont plus compétents que toi sur le sujet. Ton avocat semble bien, même s'il coûte la peau des fesses. Tu vas y arriver. Tu as fait tout ce que tu pouvais. C'est à eux de faire l'autre bout du chemin.

Il avait bien raison. Tout ce qu'il me restait à faire, c'était mettre les papiers à la disposition de l'avocat et espérer que l'ancien propriétaire accepterait un règlement hors cour. Mais, le connaissant, je savais que rien n'était moins sûr. Il avait la réputation d'être un batailleur. C'était, aux dires des gens du village, un faiseur de troubles.

Après le départ de Vincent et de Marie, j'avais consulté mon carnet d'adresses professionnelles et fait signe à toutes les maisons d'édition qui m'avaient fait confiance jusque-là. J'attendais des nouvelles d'une journée à l'autre pour des contrats de révision. Ça n'était pas follement payé, mais ça me ferait au moins ça de côté dans mon compte en banque quand viendrait le moment de payer la note salée de l'avocat.

Je décidai de concocter un petit menu estival pour mes copines. Tapas de crevettes à l'ail en entrée, côtelettes d'agneau aux herbes de Provence, accompagnées de grelots huilés, parfumés aux branches de romarin, d'un tian de courgettes et de tomates. Pour dessert, je ferais une mousse à la poire, la gourmandise préférée de Lulu. Sans oublier, pour l'apéro, du pain badigeonné de l'huile apportée par Bernardo, frotté avec de l'ail rôti et que je parsèmerais de morceaux de tomate et de feuilles de basilic. J'avais un souvenir impérissable de ces tartines toutes simples que j'avais eu l'occasion de goûter en Toscane. Ça, au petit-déjeuner, c'est un délice qu'on ne veut que renouveler.

Tandis que je prenais des fines herbes dans le garde-manger, je surpris le tamia sur une tablette. Il grignotait à même un emballage de biscottes.

— Faut pas se gêner, dis-je à la petite bête, qui me fixait de ses yeux affolés. Fais comme chez toi.

Comme il vit que je cherchais à l'emprisonner dans le linge à vaisselle que je tenais à la main, il ne fit ni une ni deux et sauta sur ma poitrine, puis de là au sol; la seule issue possible pour réussir à quitter en vie son refuge. Je crus que j'allais faire une crise cardiaque. Je m'immobilisai avant de me mettre à hurler comme une perdue. Ça faisait longtemps que je n'avais pas crié si fort, j'en laissai échapper du même coup tout le contenant des fines herbes, qui se répandirent sur le plancher, et je le vis filer en quatrième vitesse vers le salon. « Pourvu qu'il ne monte pas à l'étage, songeai-je, pourvu qu'il ne monte pas à l'étage ! » Je ne voulais absolument pas le retrouver dans ma chambre. Et où étaient mes chats pendant ce temps ? Pas là quand on en a besoin. Si Maxou et Rosie avaient fait leur travail de chats de garde, je ne serais pas là à chercher comme une folle, dans tous les coins possibles, une toute petite bête qui peut faire de gros dommages. Les chats ont la charge de gagner leur pitance et leur loyer en échange de mes caresses. Ils ont donc la responsabilité de protéger la maison contre les intrus ; pas de se prélasser comme deux pachas au soleil et de laisser leur maîtresse mourir d'un arrêt cardiaque !

28

Notre souper de filles commença par un fou rire et fut parsemé d'une série d'autres tout aussi fous. Arrosés, il fallait le dire, par quelques bouteilles de rosé et de blanc frais que mes copines avaient eu la bonne idée d'apporter. Heureusement, parce que j'étais si pressée de retrouver l'intrus bien caché dans ma maison que j'avais complètement oublié d'aller en acheter. Le repas était délicieux. Je m'étais surpassée. Mon voyage en Toscane m'avait appris ça de bien : la cuisine italienne est toute simple. Elle est faite souvent de ce que l'on a sous la main. Trois ingrédients et le tour est joué. Du pain frais, de l'huile, des tomates gorgées de soleil ; quelques grillades, beaucoup d'ail, des légumes frais, quelques épices, et voilà ! Que c'est bon d'avoir des copines qui aiment goûter à tout ! Elles s'en léchaient les doigts. Le plaisir et la gourmandise étaient de mise. Nous parlâmes de tout et de rien. Mais bien sûr, des hommes de nos vies aussi. Du projet de réfection personnelle déjà entamé par Allison, qui voulait toujours paraître au mieux pour son jeune mec. Elle suivait des traitements pour affiner la cuisse, la taille et même le mollet. Lulu et moi nous sommes moquées d'elle. Elle désirait garder le plus longtemps possible ses prothèses de plastique pour le blanchiment des dents. Elle n'avait pas eu le temps de le faire dans la journée et elle zézayait sans arrêt en prenant son apéro.

— Tu vas pas nous saliver ça en pleine face toute la soirée, ma belle Allison ! s'exclama Lulu. Sais-tu quand et surtout où tu vas réussir à t'arrêter ?

— J'ai l'impression, lui dis-je, que lorsqu'on commence ce type de démarche, c'est sans fin. Non ?

Allison n'en démordait pas. Elle n'avait pas d'autre choix, affirmait-elle, si elle voulait conserver son Jules. Lulu et moi, on n'avait pas du tout le même problème, ça n'avait rien à voir, semblait-il.

— Et pourquoi ? demanda Lulu. Moi, j'ai un homme, et même Olivia a son jules. La question se pose également pour nous deux.

— Merci, lançai-je à Lulu, légèrement vexée. Comment ça, « même moi » ? Comme si je ne pouvais pas être avec quelqu'un...

— Ce n'est pas ça que j'ai voulu dire, ajouta Lulu pour s'expliquer. Mais la dernière fois, avec le gars en habit bleu au mariage de Jules et Allison, ça n'était pas très sérieux et tu n'as pas arrêté de nous dire que, pour toi, le sujet était clos ; que tu fermais la boutique puisque tu avais suffisamment donné avec les spécimens tordus.

— C'est ce que je croyais, avouai-je, sincère. Mais Bernardo...

Les filles entamèrent ensemble une parodie des chansons à l'italienne, en répétant le prénom de mon amoureux et en roulant exagérément les *r*.

Il y eut beaucoup de rires pour accompagner cette sérénade.

Puis nous redevînmes sérieuses, un petit moment. Allison s'entêtait à défendre son idée.

— Je pense que, pour toutes les femmes, avoir soixante ans, c'est toujours un drame, déclarai-je à mes copines. Alors, on ne pourrait pas juste être élégantes, en forme et bien dans notre peau ? J'ai beaucoup plus envie de tabler sur le charme fou, la lucidité joyeuse et le sens de l'humour que sur la chirurgie.

— C'est sûr que, sans chirurgie, on a besoin de beaucoup, beaucoup d'humour ! rétorqua Allison.

— Ma relation avec Bernardo est récente, je sais, mais je me sens en confiance sous son regard. Au fait, les filles, il a remarqué que j'avais perdu du poids.

— Tu vois ! s'exclamèrent-elles presque à l'unisson. On te l'avait dit que c'était mieux.

— Pas du tout, répliquai-je aussitôt, il me trouve trop maigre.

Elles restèrent interdites un instant.

— Tu nous niaises ? demanda Lulu.

— Pas du tout. Moi aussi, je croyais qu'il apprécierait. Il préfère le pulpeux, le plein. Ce sont ses propres mots. Alors, vous allez me lâcher, avec votre régime ! Depuis quand un être humain s'envisage morceau par morceau ? Le corps, c'est un ensemble. On aime ou on n'aime pas, non ?

Lulu semblait d'accord. Mais pour Allison, il en était tout autrement.

— Ah oui ! Pis si les morceaux dont tu parles ne vont pas avec l'ensemble ?

— Genre ? fit Lulu, qui se sentait prête à monter aux barricades.

— Ben ! répondit Allison, comme si c'était une évidence. Qu'est-ce que tu fais quand tu as une grosse patate au milieu de la figure ? Ou bien une culotte de cheval pour accompagner une taille de guêpe ? Des pieds de céleri en dessous du tronc ? Des tites, tites tranches de foie de veau au lieu de pêches pulpeuses qui forment une belle bouche ?

Elle ne s'arrêtait plus, et Lulu et moi n'en revenions pas des exemples qu'elle fournissait.

— Des œufs au plat à la place de boules de crème glacée ou d'immenses melons d'eau ? Moi, si la nature m'avait « gâtée » de la sorte, j'échangerais tout ça.

— Est-ce que tu t'entends parler ? lui lançai-je, en colère. Tu parles des parties de ton corps comme autant de plats au menu qu'on peut changer à volonté. Boules de glace, œufs au plat, grosse patate, melon, petite tranche de veau... Un peu plus ici, surtout pas de ça... beaucoup de ceci.

— C'est vrai que, dit comme ça, commença Allison, ça sonne bizarre.

— Si tu continuais à être simplement une femme formidable, dis-je à Allison, ton Jules te verrait telle que tu es : cette femme fantastique et, oui, légèrement plus vieille que lui, mais dont il est tombé follement amoureux et qu'il a épousée il y a à peine un an. Il t'aimerait tout comme avant et ne verrait pas ce qui te semble aller tout de travers.

— C'est vrai, ça, ajouta Lulu. Depuis quand Allison McMahon...

— Depuis un an, c'est McMahon-Ferlatte.

— Je reprends donc, articula Lulu. Alors, depuis quand Allison McMahon-Ferlatte ne sait plus proposer un plat au menu qui ne soit pas alléchant, sans être transformé ?

Lulu nous fit réfléchir un instant avec sa remarque.

— Peut-être que la solution, c'est tout bonnement de vieillir ensemble, ajouta-t-elle doucement.

Et je complétai cette maxime, à l'intention d'Allison, qui préparait une réplique de son cru :

— ... même si on ne vieillit pas au même rythme.

— Vos chums sont de votre âge, déclara Allison. Moi, j'en ai choisi un plus jeune. Il y a de magnifiques avantages, mais de terribles inconvénients aussi. Il y a un énorme prix à payer.

— Si tu me disais que c'est parce qu'il est pas assez mature, trop fringant ou irresponsable, je comprendrais que ça te pose problème, tenta Lulu. Mais là, aller jusqu'à te transformer entièrement, alors que c'est toi, l'Allison d'un certain âge, avec quelques rides, mais également femme d'expérience qu'il a épousée. Désolée, mais je ne comprends pas ton raisonnement.

Entre chaque plat et chaque verre, nous discutâmes longuement du sujet. Pour toujours en revenir à la même conclusion. C'est terrible comme les femmes se font la vie dure. Les femmes ne s'aiment pas suffisamment pour faire confiance à l'amour que leur portent les hommes. Ou alors, la publicité et les images véhiculées sur le jeunisme, la chair fraîche à tout prix étaient tellement présentes dans nos vies qu'on en était toutes plus ou moins victimes. Et toujours ces mêmes questions : « Chéri, il me semble que j'ai engraissé, non ? Tu ne trouves pas que mes seins sont trop petits ? Ou trop flasques ? J'ai un gros derrière, hein ? La voisine est vraiment belle ; ça, c'est ton genre de femme ! »

« Dites-moi ce que vous n'aimez pas chez vous. » C'est la fameuse phrase que prononcent, à chaque rencontre d'un patient, les deux chirurgiens esthétiques de la célèbre émission américaine *Nip/Tuck*.

— On se la pose tout le temps, cette question. Et ça nous tue, ça tue l'amour, conclut Lulu.

— On n'aime jamais rien de nous ! dis-je. Ce n'est pas compliqué !

Je m'adressai à mes copines :

— Est-ce que, dans votre entourage, vous connaissez une fille satisfaite de son corps ? Pas moi, en tout cas.

Un silence passa sur nous.

— Ouin ! C'est beau, ma théorie sur le fait de vieillir ensemble, soupira Lulu. Encore faut-il que les deux partenaires veuillent la même chose, au même moment.

Je savais que Lulu faisait ici référence à Armand, qui la délaissait de plus en plus. Elle avait maintenant les yeux pleins d'eau. Allison et moi nous retournâmes toutes les deux vers elle.

Un grand silence envahit la table et nos cœurs. Il faut dire que Lulu ne l'avait pas eu facile ces derniers temps. Cancer du sein, défection d'Armand, son amoureux, qui trippait fort avec sa gang de gars. Mais sans elle. Allison se leva et alla entourer de ses bras les épaules de Lulu.

— Excuse-moi, ma belle. Je suis là, avec mes plats à transformer, et toi, tu n'as rien à te mettre sous la dent, si je puis dire.

— C'est drôle que tu parles de menu, affirma Lulu, que l'image avait fait sourire. Depuis que je clavarde sur Internet, c'est l'impression que j'ai lorsque je consulte une liste de candidats potentiels. Ils se décrivent dans le menu détail, mais lorsque les plats sont servis ou prêts à être livrés à domicile, ils sont souvent insipides. Les ingrédients annoncés sont totalement absents de l'assiette ou y sont en trop grande quantité, ou encore, alors qu'on s'attend à un plat d'un grand raffinement, on se retrouve devant de la malbouffe impossible à digérer.

La description faite par Lulu nous fit rire.

— Rien d'intéressant à l'horizon ? demanda Allison pour continuer d'alléger la situation.

— Lulu, ma sœur, Lulu, ne vois-tu rien venir ? chantonnai-je.

— Y a peut-être quelque chose… de potable. Mais j'attends encore de voir. C'est trop beau pour être vrai.

— Trop beau ? l'interrogea Allison. Qu'est-ce que tu attends ?

— Je ne le sens pas encore. Pour l'instant, ce n'est qu'un jeu. Mais c'est tellement fantastique par écrit, il ne fait même pas de fautes, ajouta-t-elle, que ça ne me paraît pas normal. J'ai peur que ça cache une grosse déception.

— Va voir. Tu vas le savoir assez vite, non ?

— Justement. Peut-être que j'ai envie de faire durer le plaisir.

— Lulu, tu n'as pas peur de te brûler les ailes ? m'inquiétai-je. Et de te retrouver le cœur en charpie ?

— Je suis prudente, me dit-elle pour me rassurer. Ça ne peut pas être pire que l'absence d'Armand. Il est gentil tout plein avec moi, mais il trippe ailleurs. En conversant avec ces gars-là, lui en particulier, je me sens revivre. Je rajeunis. J'existe enfin pour quelqu'un. Je suis considérée. Je suis désirée.

— Virtuellement parlant, avançai-je.

Lulu fit dévier aussitôt la conversation. Pour elle, le sujet était clos ; il était inutile d'insister. Je la connaissais assez pour savoir que, lorsqu'elle aurait envie de m'en parler davantage, elle le ferait. J'en profitai pour débarrasser les assiettes et servir le fromage, suivi du dessert. Lulu voulut savoir si j'avais mis Vincent et Marie au courant de ma relation avec Bernardo.

— Je n'ai pas eu besoin de les mettre au courant. J'ai d'abord dit aux tourtereaux que je partais voir un ami qui était de passage à Québec et que j'avais rencontré grâce aux bons soins de Massimo.

— Mais au retour... commença Allison, que le vin blanc rendait coquine.

— C'est ça, avouai-je, au retour, j'avais l'air d'une adolescente de quatorze ans qui vient de découcher pour la première fois. J'avais le menton râpé à cause de sa barbe forte, j'étais d'un calme rare et...

— Et tu devais avoir l'œil bordé de reconnaissance, compléta une Lulu de plus en plus pompette. Depuis le temps que ça ne t'était pas arrivé, tu devais avoir l'air d'un roman d'amour à toi toute seule !

— Eh oui ! reconnus-je. Marie était ravie pour moi. En me voyant, elle a tout de suite deviné. C'est elle qui en a parlé à Vincent ; il a eu l'air surpris au début. Je pense que nos fils ne peuvent ou ne veulent absolument pas s'imaginer que leur mère a une aventure. Encore moins une mère qui a mon âge. Ensuite, il s'est inquiété.

Il devait penser: « Pas encore un autre zouf qui va faire pleurer ma mère, l'exaspérer au plus haut point ou vider son compte en banque.» J'ai rassuré mon enfant.

« J'ai dit à la chair de ma chair qu'il pouvait dormir sur ses deux oreilles; celui-là n'allait pas dilapider son futur héritage puisqu'il était indépendant de fortune, qu'il avait un métier passionnant et qu'il gagnait très bien sa vie, qu'il voyageait souvent, donc qu'il n'était pas trop présent, et qu'il avait déjà deux enfants adultes.

— Tu les connais? demanda tout de suite Allison.

— Non, pas encore. Je les rencontre la semaine prochaine à Montréal. J'ai seulement parlé au téléphone avec sa fille pour choisir la date. Bernardo m'a laissé un paquet pour eux. Sa fille, Graziella, a le même âge que Vincent; elle est mariée et n'a pas encore d'enfants. Son frère, Tonino, est plus jeune et plus instable également. Il se cherche, d'après Bernardo. Il fait HEC en ce moment. Il compte reprendre le business de papa ou de tonton.

Lulu dévora sa mousse à la poire. Elle en prit même une deuxième portion. Ça me faisait plaisir de la voir manger de si bon appétit. Nous parlâmes recettes. Puis Allison resta quelques instants la cuillère dans les airs. Intriguées, Lulu et moi jetâmes un coup d'œil dans la direction où Allison fixait son regard depuis un moment.

— Je me trompe-tu, là, ou il y a un petit suisse qui n'est pas un fromage qui vient d'entrer dans le garde-manger?

Lulu hurla comme si la petite bête allait lui sauter dessus.

— Le maudit tamia! m'écriai-je. Je le savais qu'il était encore dans la maison. J'ai passé une partie de l'après-midi à le chercher.

— Tu loges un tamia chez toi? s'étonna Lulu. Tes chats, ils servent à quoi?

— Ces bestioles sont des jouets pour eux, répliquai-je. Ils les attrapent, s'amusent un peu avec eux et les délaissent ensuite. Ce n'est pas le premier qui tente d'élire domicile chez moi.

Je me levai sans faire de bruit et j'allai chercher le balai qui se trouvait à portée de main. Je fus aussitôt suivie par mes copines ; on se dirigea toutes les trois vers le garde-manger. Lulu s'était emparée d'une fourchette et Allison brandissait un bol en plastique qu'elle venait de récupérer sur le comptoir. J'ouvris prudemment la porte. La bête se tenait devant nous et nous regardait effrontément, comme si sa présence à cet endroit était la chose la plus naturelle du monde. Allison avança son bol en direction du tamia. Il ne fit ni une ni deux et fonça entre nos jambes. S'ensuivit une pagaille pas possible. Des cris, des rires et une poursuite effrénée dans le salon, où l'animal s'était enfui. Mais où exactement ? Ça a duré je ne sais plus combien de temps. Et tout ça dans l'hilarité la plus folle. Nous étions vraiment belles à voir, toutes les trois à quatre pattes, l'une regardant sous les meubles, l'autre soulevant le tapis, tandis que Lulu, la plus peureuse, se cachait le visage dans un coussin et hurlait chaque fois qu'elle sentait un mouvement près d'elle.

— *Mamma mia ! Che cosa fai ?*

Le cri nous fit relever la tête, nous nous tournâmes toutes les trois dans un même élan en direction de la cuisine. Massimo nous dévisageait, son sac de voyage à la main.

— *Madonna !* Qu'est-ce que vous faites à quatre pattes dans le salon ? Élégante façon d'accueillir *un amico.*

— Massimo !

On se leva d'un bond. Riant, parlant toutes en même temps, tentant d'expliquer la situation avec le balai, la fourchette et le bol à la main. Et c'est le moment que choisit le tamia pour filer par la porte de la cuisine entrouverte, sans demander son reste.

— C'est qui, celui-là ? demanda Massimo. On se connaît ?

— Tu l'as peut-être déjà croisé en Italie, proposa Lulu.

— Ou en Suisse, dis-je, dans un hurlement de rire.

Et l'euphorie reprit de plus belle. On en pleurait.

29

Après qu'on eut raconté l'aventure du tamia à Massimo, les filles rentrèrent sagement, chacune chez elle, et mon ami m'aida à mettre de l'ordre. On parla une partie de la nuit. J'étais tellement étonnée de le voir là, dans ma maison, il m'avait tellement manqué que je le regardais sans arrêt en souriant bêtement.

— *What?* me cria-t-il, comme il avait l'habitude de le faire depuis toujours, à la manière de Miss Piggy dans le *Muppet Show*, lorsqu'elle se croit prise en défaut.

— Rien, rien… lui répétai-je. Je n'en reviens pas que tu sois ici. Il me semblait que tu devais rester à Pitigliano ; que tu avais tout plein de choses à régler ?

— Oui, mais… j'ai su par un ami qui est venu récemment te rencontrer à Québec que tu avais besoin d'aide.

— J'ai besoin d'aide, moi ? C'est ce que t'a dit Bernardo ?

— Hum… hum ! acquiesça Massimo, qui grattait le fond des casseroles et des plats à la recherche d'un petit quelque chose à se mettre sous la dent, tandis que je rangeais les assiettes dans le lave-vaisselle.

— Je suis parfaitement capable de me débrouiller, déclarai-je, légèrement insultée que Bernardo me juge en danger et réclame que mon presque frère vienne à la rescousse.

— Oh ! *Please ! Smettila di fare la smorfiosa !*

— La quoi ? demandai-je. Qu'est-ce qu'il faut que j'arrête de faire ?

— La mijaurée. On le sait, que tu es capable. Que tu es une fille autonome, débrouillarde, que dis-je, experte dans beaucoup de domaines ! Et que tu peux tout faire toute seule. Mais tu ne pourrais pas, une fois dans ta vie, accepter que quelqu'un te prête main-forte sans que tu te sentes diminuée pour autant ? Bernardo t'aime plus que tu ne crois. Il est venu me voir à son retour en Italie. Il m'a dit que tu avais beaucoup de soucis, que tu avais refusé son aide et que ça l'avait blessé.

Je restai silencieuse. Je laissais les propos de Massimo entrer en moi et faire leur petit bout de chemin. C'est vrai que j'avais tendance à tout faire seule. C'est sûr que, lorsqu'on vit depuis des années sans compagnon et qu'on doit compter sur l'aide extérieure pour installer, construire, aménager, réparer ce qui cloche, on finit par tout faire soi-même parce que soit on n'a pas l'argent pour payer quelqu'un qui pourrait s'en occuper, soit on n'en peut plus d'attendre que le coup de main espéré arrive.

— J'ai vraiment blessé Bernardo ? demandai-je à Massimo en m'approchant de lui.

— Bien sûr que tu l'as blessé. Tu l'as bien regardé ? Tu oublies que c'est un Italien. Et par définition, un Italien, c'est... Mais un Italien amoureux, c'est encore pire.

Massimo me servit un assortiment de mimiques, accompagnées d'une chorégraphie dans l'espace avec ses mains pour expliquer son propos. Je n'en sus pas plus sur ce qu'était un véritable Italien, mais je compris tout de même que Bernardo m'aimait et tentait de m'aider.

— Il a vraiment fait ça ?

— Fait quoi, *mia cara* ?

— Bernardo t'a envoyé pour m'aider puisqu'il ne peut pas être là ?

— Il a même payé une partie de mon billet d'avion. Mais ça, tu ne le sais pas. On s'entend bien là-dessus.

D'un geste, il me fit comprendre que je devais rester bouche cousue, puis il poursuivit sur sa lancée :

— Bernardo considère que ça t'en fait beaucoup sur les épaules et que tu te trouves dans une situation délicate. Il ne sait plus quoi faire pour te soutenir. Alors, arrête de jouer les indépendantes.

— Je ne voulais absolument pas l'offenser, ce n'était pas du tout mon intention. Mais tu me connais !

Massimo leva les yeux au ciel, comme si j'étais la pire calamité qui soit.

— Ben quoi ? dis-je pour ma défense. J'ai été élevée par une mère féministe avant la lettre. Elle m'a poussée dans mes études pour que je sois indépendante financièrement, que je me débrouille dans toutes sortes de situations, que je n'attende pas après les autres pour exister. Tu le sais. Je n'aime pas dépendre de quelqu'un. Tu es pareil.

— Tu sais faire des tas de trucs dans la vie, Olivia. Mais est-ce que tu es capable de te laisser aimer ? Vraiment aimer ?

Le coup avait porté. Massimo savait où frapper, parfois. J'eus instantanément les larmes aux yeux. Il attendit quelques instants que je réponde à son interrogation. Mais je ne pouvais pas. Je sortis sur la terrasse, où je commençai à pleurer comme une Madeleine. Massimo venait de toucher un point sensible. Sans le faire exprès, il venait de m'envoyer un direct à l'estomac.

La nuit était chaude et douce. Je m'assis près de l'étang. Le murmure de la chute d'eau me fit du bien et calma, pour un temps, mes démons intérieurs. Massimo vint me rejoindre et entoura mes épaules tendrement.

— Dans le fond, Olivia Lamoureux, tu es une petite fille.

Il me donna un baiser sonore sur la tempe. Il poursuivit doucement :

— Tu n'en as pas marre, des fois, *bella*, de porter cette armure qui empêche les gens qui t'aiment intimement de te rejoindre… à l'intérieur ?

Il effleura mon cœur de son index.

— C'est bien que tu sois devenue cette femme solide, qui sait se tenir debout, qui est efficace, indépendante. Ta structure extérieure est résistante ; mais en dedans de toi, moi, je sais qu'il y a une petite fille tout en caramel qui ne demande qu'à fondre. Mais pour ça, il faut que tu laisses les gens t'approcher, te toucher, t'aider si nécessaire. Cette fois-ci, il y a un homme qui est prêt à venir à ta rencontre. Si tu t'enfermes à double tour, si tu barricades tes sentiments, si tu fermes à clé toutes tes ouvertures, ça ne pourra pas fonctionner.

Massimo laissa passer un peu de temps. Je finis de renifler et d'avaler mes larmes. Il avait tellement raison !

— Mais tu n'as pas tout faux, du côté des fermetures. J'ai su dans les moindres détails… me dit-il d'une voix suave, en y ajoutant un regard lubrique, que la seule chose qui restait ouverte jour et nuit, c'était la ceinture de chasteté. C'est pas pour être mauvaise langue, mais il paraîtrait qu'Olivia Lamoureux…

Je le frappai à grands coups répétés sur les bras, en riant malgré moi.

— Niaiseux. Tu es l'Italien le plus niaiseux que je connaisse. Mais celui que j'aime le plus.

— Plus maintenant, me corrigea-t-il. Tu en aimes un autre. Est-ce que tu réalises qu'on forme un couple à trois ? Sais-tu que je n'avais pas envisagé Bernardo sous cet angle, mais, maintenant que tu en parles, je pourrais avoir un petit penchant pour lui. À une condition toutefois, ajouta-t-il en faisant une grimace de dégoût, qu'il accepte de se raser la poitrine et les jambes. Ah ! Tout ce poil !

Il continua de pincer les lèvres.

— Moi, j'aime beaucoup, déclarai-je.

Massimo, fidèle à lui-même, se boucha les oreilles en répétant hyper fort : « C'est trop de détails, trop de détails ! »

Nous rîmes doucement puis, soudain inquiète, j'eus un doute.

— Bernardo ne t'a pas parlé de la façon dont on... dont lui et moi... on faisait... l'interrogeai-je, tout à coup embarrassée.

Je ne pouvais pas croire que Bernardo ait commis une telle indiscrétion à propos de nos ébats.

— Bien sûr que non, nounoune. Tu es la Québécoise la plus nounoune que je connaisse. De toute façon, je ne veux rien savoir de vos histoires d'hétéros. J'ai mieux à faire ailleurs.

Nous discutâmes encore un peu, tandis que la lune glissait derrière les arbres et que les grillons s'en donnaient à cœur joie. Massimo accepta ma tête sur son épaule et on parla de nos peurs. Celle de former un couple, semblait, de part et d'autre, la plus redoutable. Ça faisait très longtemps que lui et moi avions vécu l'expérience de la vie à deux. Massimo se contentait d'aventures sans attaches. D'ailleurs, il répétait à qui voulait l'entendre qu'il ne voyait pas pourquoi il aurait un chum qui lui crèverait le cœur, l'abandonnerait et viderait son compte en banque en même temps. Tandis que moi, j'avais eu, comme fréquentations récentes, Harris, qui allait et venait selon son bon plaisir, et Richard, qui, lui, s'incrustait dans ma vie et me pourrissait l'existence.

— Je pense, philosopha Massimo, que ceux qui nous aiment et qui veulent à tout prix partager nos vies, on les trouve envahissants, alors que nous, on est égoïstes, on n'est pas prêts à partager. Il faut voir si ça vaut la peine ou pas. Je crois que Bernardo t'offre de former une équipe. C'est à toi de voir. *Ma, ascoltami bene.*

Il pointa son doigt vers son oreille, en ajoutant :

— Écoute bien. Je pense que celui-là, c'est le bon. C'est le seul autre Italien qui en vaille vraiment la peine.

— Et l'autre, c'est qui ? demandai-je.

— Un pauvre fou qui a parcouru des milliers de kilomètres, qui va être fripé par le manque d'oxygène, qui va traîner de la patte pendant plusieurs jours à cause du décalage, qui va être en retard dans tout ce qu'il avait à faire en Italie, juste pour secourir une pauvresse qui est dans le trouble.

Il m'embrassa sur le front, se leva d'un bond et décida qu'il était temps d'aller dormir. Je le rattrapai par la main.

— Simo, tu as bien fait de venir. J'ai vraiment besoin de toi.

— Je le savais. C'est pour ça que je suis là. Alors, laisse-moi aller dormir, *bella*, sinon, demain, je vais te trouver insupportable et je vais repartir en Italie en courant.

30

La journée avait démarré sur les chapeaux de roue. J'avais intérêt à suivre la cadence. Massimo avait à peine dormi, toujours sur le décalage horaire, mais il était d'attaque. Pendant qu'il préparait le petit-déjeuner, il m'avait envoyée à mon rendez-vous chez la notaire qui, papiers en main, m'avait mise au parfum de ce qui m'attendait. Rien de très réjouissant. Même si les documents préparés par l'agent immobilier m'avaient donné le sentiment d'avoir fait l'acquisition d'une propriété dûment branchée aux canalisations de la ville pour l'eau courante et pour les eaux usées, cela n'existait que sur papier. La réalité s'avérait tout autre. De plus, la fosse septique que l'ancien propriétaire avait fait mettre en place était vétuste et, pis encore, non conforme, puisque de trop petites dimensions. La Ville m'invitait donc à me brancher aux installations municipales ou encore à remplacer la fosse septique actuelle. On m'accordait un délai raisonnable, mais en clair, ça voulait dire : prenez votre temps, chère dame, mais faites ça vite.

Tous ces termes m'étourdissaient. La notaire, très gentille et sensible à mes déboires et à ma cause, me consultait régulièrement pour être certaine que je comprenais bien de quoi il retournait.

Tout ce que j'entendais se résumait en quelques mots – non conforme, illégal, changement – et en plusieurs chiffres, auxquels je voyais une série de zéros qui n'en finissaient plus de s'accumuler. Je n'osais même pas demander le nombre exact. Je le saurais bien assez tôt, puisque je devais recevoir le devis de l'entrepreneur pour me faire une petite idée.

Elle m'expliqua aussi que je ne pouvais pas faire exécuter lesdits travaux avant qu'une entente soit prise avec l'ancien propriétaire ; et que si cette entente était non avenue, c'est-à-dire si le vendeur refusait de débourser quelque somme que ce soit, je n'aurais d'autre choix que d'aller en procès.

Une barre me traversa le ventre et me laboura les entrailles.

Je me plaignis à la notaire.

— Pourquoi moi ? Qu'est-ce que j'ai fait au ciel pour qu'une telle tuile me tombe sur la tête ? On a pourtant été vigilants. C'est pas comme si c'était ma première maison.

— Ne vous inquiétez pas. Même moi, je n'y ai vu que du feu. Vous n'êtes pas la seule à qui la chose arrive. C'est un cas très clair de vice caché.

Après m'avoir rassurée gentiment, elle me précipita l'instant d'après dans les affres de l'angoisse.

— Bon ! Un vice caché, ce n'est pas facile à prouver. Mais je suis convaincue qu'un bon avocat peut vous permettre d'obtenir les sommes nécessaires pour corriger la situation. Votre avocat, il est bien ? m'interrogea-t-elle.

— Au prix qu'il coûte, j'espère bien.

— Alors, il ne vous reste plus qu'à tomber sur le bon juge.

— Ça veut dire quoi, ça, exactement ? Il y en a des pas bons ?

— Euh... Non ! Il y en a qui sont plus collés à la loi que d'autres. Et de plus, la personne que vous allez poursuivre est un vieil homme... alors...

— Mais, et moi ? Je suis une pauvre femme sans défense… Ça ne compte pas, ça ? C'est moi qui suis dans le trouble par sa faute. Si j'étais riche, je laisserais tomber toute cette histoire, je ferais remplacer les installations sanitaires pour clore définitivement ce chapitre. Mais ce n'est pas le cas. J'ai besoin d'obtenir compensation.

Elle me déclara que j'avais tout à fait raison. Que ce genre de dossier était délicat, mais que j'avais tout de même de bonnes chances de gagner ma cause.

— Une chose est sûre également, ajouta-t-elle. Puisqu'il s'agit d'une installation sanitaire, vous pouvez faire exécuter une partie des travaux maintenant. Vous ne devez pas vivre avec des égouts à ciel ouvert. C'est une obligation. Voyez avec votre entrepreneur ce qui doit être fait impérativement.

Plus elle me parlait des détails du dossier, plus je sentais que mes jambes allaient m'abandonner. J'avais mal au cœur, je n'arrivais plus à respirer.

Je repartis donc avec tous les papiers que je devais remettre à l'avocat qui coûtait si cher et avec qui j'avais rendez-vous en après-midi, pour une petite tape d'encouragement dans le dos et une facture pour la consultation. La ronde des déboursements ne faisait que commencer.

Le déjeuner m'attendait sur la table de la terrasse. Je ne pus rien avaler. Les choses se précisaient et l'étau se resserrait. Je n'en finissais plus de regarder les murs de ma maison, dont le jaune oscillait vers l'ocre ou vers l'épi de blé, selon que le soleil léchait plus ou moins la façade. Il y avait ce petit mouvement produit par l'eau de la chute qui créait comme un frisson sur les murs de ma demeure et qui m'émouvait encore après toutes ces années.

— Hep ! Hep ! Hep ! Pas le temps d'être dans la lune, tonna Massimo en tapant dans ses mains. Je range, tu vas te préparer un petit bagage, je donne à manger aux chats, je ferme tout et hop! on est partis. *Vai, vai, vai.*

Je fis ce qu'il ordonnait, puisqu'il fallait y aller. J'essayai de ne rien oublier et, juste avant de partir, je consultai mes courriels. Le devis de l'entrepreneur m'attendait. Je faillis tomber en bas de ma chaise.

— Quoi? hurlai-je. Quoi? Ils sont malades!

Massimo vint me chercher dans mon bureau tandis que je consultais la liste des chiffres qui s'alignaient sur la feuille blanche que je venais d'imprimer et qui allaient me ruiner.

— Tu me conteras ça dans la voiture, me dit Massimo en m'entraînant hors de la maison. Ne panique pas, *mia cara*. Ça a toujours l'air pire que c'est.

Puis il ajouta entre ses dents cette petite phrase marmonnée, mais pas suffisamment puisque je la reçus dans le dos, tel un couteau bien aiguisé:

— Et c'est toujours pire.

Je ne relevai pas; je n'étais pas à un choc près.

La route jusqu'à Montréal fut agréable. J'aimais la conduite de Massimo. Il avait loué pour le temps de son séjour une décapotable rouge vif, et cette voiture nous rappelait notre séjour en Toscane. Comme à notre habitude, nous accompagnâmes le chanteur de la radio qui entonnait une chansonnette entraînante. Ça allégea, pour un temps du moins, les tracas qui s'empilaient sur mes épaules.

La vue du pont Champlain me ravit toujours lorsque je quitte les Cantons-de-l'Est pour entrer dans la grande ville. Ce matin-là, une brume passagère rendait les immeubles du centre-ville opalescents. Massimo se gara le long du trottoir devant la Place-Ville-Marie pour mon rendez-vous avec l'avocat. Il avait lui-même un rendez-vous dans les studios de Cinéma Mel's avec un réalisateur anglais avec qui il avait déjà travaillé.

Ce dernier réclamait les services de Massimo pour son prochain film. Un truc d'époque dont m'avait brièvement parlé mon ami. Tout à fait le genre de film qu'aimait Massimo. Beaucoup de perruques, de l'invention, de la débrouillardise avec peu de budget.

— Encore une fois, ils font un film à grand déploiement sans argent. On va devoir vivre, comme toujours, avec des bouts de chandelles.

J'irais rejoindre Massimo plus tard à son petit studio sur le Plateau. Je prendrais le métro. Un bain de foule me ferait le plus grand bien. J'adorais voyager en métro lorsque je demeurais à Montréal.

Dans l'immense édifice de la Place-Ville-Marie, je tournai en rond pour trouver le bon ascenseur qui me mènerait aux étages supérieurs. La poussée vers le haut me donna le vertige. Je me rappelai la réplique de Lulu à propos des étages supérieurs dans les bureaux importants : « Plus c'est haut, plus ça te coûte cher. » On me fit attendre dans une immense salle, en m'offrant un café. La dame de la réception me reconnut comme une résidente du même village qu'elle. J'étais, en quelque sorte, en pays de connaissance. Puis le petit homme apparut. Il était tiré à quatre épingles, belle cravate, souliers vernis et chevalière à la main droite. Il me guida vers une salle de conférence. Il avait déjà étalé quelques documents sur le bout de table qu'il s'était alloué.

— Bon ! commença-t-il. L'ancien propriétaire ne veut rien entendre. Il jure sur tous les saints qu'il n'y est pour rien. Qu'il n'était pas du tout au courant de ces tractations douteuses.

— Un peu difficile de croire qu'il n'ait rien su à ce sujet, dis-je à l'avocat. Il avait la réputation de tout surveiller, de tout contrôler et, la plupart du temps, de tout exécuter lui-même.

— C'est votre parole contre la sienne, madame Lamoureux. Il va falloir plus que ça pour arriver à prouver qu'il y a vice caché. De toute façon, vous allez peut-être devoir attendre votre tour.

Je le regardai avec des yeux interrogateurs. Il brandit devant moi une feuille.

— Oui. Dans sa lettre de refus, expédiée à mes bureaux et rédigée par son avocat, il nie catégoriquement toute responsabilité. Il parle même de poursuivre la banque qui l'a aidé à préparer sa déclaration de vendeur, ainsi que l'agence immobilière qui a présenté cette même fiche aux acheteurs potentiels. Votre possibilité de régler ce litige viendra quand les autres causes seront entendues.

— En clair, ça veut dire quoi, ça ?

— Beaucoup de temps…

Je le coupai aussitôt :

— Et je présume, beaucoup d'argent ?

Il hocha la tête, hésitant à me donner l'heure juste. J'avais ma réponse.

— Alors, on fait quoi ?

— On attend.

Je l'aurais étripé. Il dut le sentir parce qu'il ajouta qu'il allait étudier le dossier en profondeur pour voir si nous ne serions pas en mesure de régler maintenant, hors cour.

— Je ne peux rien vous promettre, mais ça ne coûte rien d'essayer.

Je ne la relevai pas, celle-là. Au point où on en était, je savais pertinemment que ça coûterait quelque chose. On n'était juste pas du même côté de la table. J'étais donneur, il était receveur.

Il vérifia les documents que j'avais apportés, puis commença à me raconter que sa femme était une grande lectrice. Est-ce que j'avais déjà été la réviseure de tel ou tel auteur ? Lorsqu'il entreprit de me parler de son talent de comédien au collège et de sa participation, chaque été, aux spectacles de la troupe de théâtre amateur, créés au Théâtre du Nouveau Monde, je dus paraître peu intéressée. Je fixais l'horloge au mur et, en même temps que je voyais les aiguilles tourner, j'entendais la caisse enregistreuse de l'avocat qui comptabilisait ses heures.

La journée avait à peine commencé que j'étais déjà à plat. Et dire que j'avais accepté de rencontrer la fille de Bernardo à l'heure de l'apéritif, pour lui remettre ce que son père m'avait laissé pour elle et son frère. Heureusement, Massimo, qui les connaissait un peu tous les deux, avait bien voulu m'accompagner ; au cas où ils seraient tentés de couler dans le ciment les pieds de leur future ex-belle-mère avant de la jeter dans le fleuve.

Excitant, comme perspective. « Merci, Massimo. Tu me facilites vraiment la vie », avais-je répliqué.

31

La résidence de Graziella était située en plein cœur de la Petite Italie, à quelques pas du marché Jean-Talon. Lorsque Massimo et moi sonnâmes, la porte s'ouvrit sur une belle jeune fille au teint mat, aux lèvres pulpeuses et à la longue chevelure noire lustrée ; deux billes brillantes à la place des yeux et le sourire avenant. Elle ne devait pas avoir plus de trente ans. Elle nous fit entrer. Massimo et elle se mirent à échanger en italien. Ils s'emballaient et parlaient si vite que je n'arrivais à saisir qu'un mot par-ci par-là. Son frère et son mari, Luigi, n'allaient pas tarder. Ce dernier travaillait à la banque italienne et terminait ses journées assez tôt. Elle-même, gérante d'une boutique de vêtements d'importation, avait pu quitter le travail pour notre rencontre. Pour être gentille, je tentai quelques phrases en italien. Pour toute réponse, je n'eus de la part de Massimo et de Graziella qu'un grand rire. Je restai interdite, ne sachant pas quel impair je venais de commettre au juste. J'avais déjà fait de même par le passé en essayant de formuler en anglais des propos anodins ; j'avais prononcé le mot *happiness* comme s'il s'agissait en anglais de « *a penis* ». Mes amis avaient remis à l'ordre du jour, lors de soupers arrosés, ma « nouvelle doctrine » selon laquelle le bonheur et le pénis sont indissociables.

Je regardais toujours Massimo et Graziella, qui se bidonnaient gentiment.

— Hum ! Comme entrée en matière, c'est pas mal, me confia Massimo.

Je l'interrogeai du regard. J'étais inquiète de la nouvelle gaffe que j'avais faite sans en connaître la portée.

— Ça n'est pas grave, me répétait Graziella. Je t'inviterai et on pratiquera un peu ton italien.

— Mais qu'est-ce que j'ai dit ? suppliai-je Massimo.

— Ça ressemble à peu près à : « Je suis très contente de ne pas t'avoir rencontrée avant et j'ai déjà hâte de repartir », déclara-t-il en tentant de m'imiter.

Il prit Graziella à témoin.

— Non mais, c'est pas mal du tout pour mettre quelqu'un à l'aise !

La fille de Bernardo s'empressa de prendre ma défense en réprimandant Massimo, lui signalant que je n'arriverais jamais à parler couramment italien si on se moquait continuellement de ce que je disais. Je me confondis en excuses. Elle m'invita à entrer au salon.

Sur la table à café nous attendaient une carafe d'eau *frizzante* et tout ce qu'il fallait pour préparer des camparis ; soda, orange sous forme de jus et de zestes. Il y avait également quelques olives et des petites biscottes torsadées *ai semi di finocchio*, aux grains de fenouil.

Massimo dit à Graziella qu'elle avait beaucoup changé depuis la dernière fois qu'il l'avait vue, au moment où elle venait rejoindre la *famiglia* à Pitigliano pour les vacances et pour participer à la cueillette des olives. Elle avait alors douze, treize ans, et son frère, quelques années de moins. Il lui déclara qu'elle était devenue *una bella ragazza*, une belle fille. Graziella rougit d'un coup. Les hommes arrivèrent peu de temps après en riant. Une fois les présentations faites, Luigi embrassa tendrement sa douce moitié, dont les joues s'empourprèrent de plus belle. On avait affaire à une timide. Elle me plaisait bien, cette fille. J'aimais sa simplicité. Je reconnaissais chez elle quelques traits propres à son père : le nez droit, l'ovale du visage, son large front. Tonino, pour sa part, me lançait des regards obliques. Il m'observait des pieds à la tête et ne desserrait pas les dents. Massimo se démenait comme un bon pour animer la conversation. Luigi ne parlait que peu l'italien. Il était pourtant né à Montréal, lui aussi, mais avait surtout fréquenté les milieux anglophones, alors que les enfants de Bernardo avaient appris, très jeunes, la langue de leurs parents, ainsi que l'anglais et le français.

Graziella me demanda des nouvelles de son père puisque, lors de son passage rapide, il n'avait pas eu le temps de venir voir ses enfants. Tonino le déplorait également ; avec un peu plus d'acrimonie, me sembla-t-il. Il plantait parfois ses yeux dans les miens, à la recherche de je ne sais quoi. Il n'était pas du tout à l'aise en ma présence et, finalement, moi non plus. J'avais déjà fait rouler une olive sous la table et failli renverser à deux reprises mon verre de campari. On parla de mon voyage en Italie avec Massimo. Tonino s'informa avec beaucoup d'intérêt de sa tante chérie, la fameuse Nicoletta qui ne me portait pas véritablement dans son cœur.

Je lui dis qu'elle allait bien. Il était curieux d'apprendre si nous étions devenues de grandes amies lors de mon séjour. Je savais où il voulait en venir et je regardai, impuissante, du côté de Massimo. J'avais l'impression que Tonino me testait constamment. Massimo répondit à ma place en italien ; je ne compris pas tout ce qu'il répliqua, mais Tonino se renfrogna.

On parla de la pluie et du beau temps, du marché Jean-Talon, de ma campagne.

— Ah ! Les Cantons-de-l'Est, souligna d'un air un peu dédaigneux Tonino. C'est pour les riches, ces coins-là. Moi, je préfère les Laurentides.

Massimo ne laissa pas passer cette pique.

— Et les Laurentides, c'est pour les parvenus, fit-il.

L'attitude peu avenante de Tonino ne laissait pas beaucoup de marge à l'interprétation ; pas plus que les regards échangés entre le frère et la sœur. J'aurais mis ma main au feu que cette dernière avait forcé son frère à assister à cette rencontre sous une menace quelconque. Puis Tonino se leva et s'approcha de la bibliothèque. Sur l'étagère trônait la photo d'une femme dont l'identité ne faisait aucun doute. Tonino était son portrait tout craché. C'était une très belle femme, douce, selon toute apparence, et aimante ; l'ex-femme de Bernardo. Tonino prit la photo dans ses mains et la regarda longuement. Je surpris le malaise qu'affichait Graziella. Elle demanda d'abord à son frère d'arrêter d'agir en bébé et de venir s'asseoir, puis elle le pria d'aller chercher des glaçons à la cuisine. Luigi l'accompagna.

Lorsqu'ils eurent franchi la porte du salon, Graziella se sentit obligée d'expliquer le comportement indélicat de son frère.

— Il était très attaché à maman.

— Je comprends, dis-je. Tu sais, je n'ai pas du tout l'intention de vous enlever l'amour de votre père. J'apprécie beaucoup Bernardo. Et je vais faire en sorte, si notre relation se poursuit, de vous laisser votre place.

— Mon père t'aime beaucoup, ajouta doucement Graziella. Il est plus que temps qu'il refasse sa vie. Il est resté longtemps seul pour ne pas nous perturber, mais on n'est plus des enfants. On dirait que Tonino et tante Nicoletta font tout pour le culpabiliser d'aimer à nouveau.

Faisant référence à son frère, elle me confia que je devais lui accorder un peu de temps, ce qui me parut tout à fait naturel.

Les gars revinrent avec un seau à glace. Luigi avait dû parler à Tonino parce qu'il affichait un air moins arrogant.

— Tu as un fils, je crois ? s'informa-t-il.

— Oui. Il a à peu près l'âge de Graziella. Il est fleuriste et il fait de l'aménagement paysager.

— Ah ! dit Tonino, apparemment étonné. Fleuriste ? Comme ça, ton fils est gai ?

— Nooon… fis-je, plutôt surprise. Il a une blonde, Marie, et une petite fille prénommée Raphaëlle.

— Ah bon ! Il me semblait que tous les fleuristes étaient gais.

Massimo, qui gigotait d'impatience sur le divan, intervint ; il s'adressa à Tonino d'une voix ferme qui était sans appel.

— Tu es un homme d'affaires, non ?

Tonino opina de la tête.

— Est-ce que tu es nécessairement un homme ennuyant ? On sait bien que tous les hommes d'affaires sont des êtres insipides et soporifiques. Comme tous les Italiens sont dans la mafia. Je suis un coiffeur-perruquier et, moi, je suis gai. Mais je suis l'exception qui confirme la règle.

Luigi et Graziella pouffèrent de rire. Pour sa part, Tonino rit jaune. Il essaya de s'en sortir avec une pirouette.

— Tu as de l'humour, toi.

— Beaucoup, et je peux être très méchant si on me cherche, ou si on attaque les gens que j'aime, lui servit-il avec un sourire suave.

Je ne savais plus où me mettre. Je ne voulais qu'une chose : échapper au plus vite à cette atmosphère tendue. J'en profitai donc, pendant qu'on prenait l'apéro, pour remettre le paquet que j'étais venue apporter aux enfants de Bernardo. La boîte contenait des sachets d'olives de toutes sortes, deux petits pots de tapenade, que Graziella et Tonino s'empressèrent de prendre tant ils raffolaient de cette purée d'olives, et une fiole d'huile toute particulière. Graziella se pâma presque en m'expliquant la provenance de cette huile de grande réputation.

— C'est une huile obtenue des premières gouttes qui s'écoulent de l'olive. On l'appelle « mère goutte ».

« Décidément, me dis-je, on ne s'en sort pas. La mère est toujours présente. » Graziella défit le cachet de cire qui scellait la bouteille et insista pour que j'y goûte. Luigi lui tendit une cuillère. Elle y versa le précieux liquide ; on aurait dit de l'or pur. Puis elle me remit la cuillère, que je portai à ma bouche. J'y trempai les lèvres. Je n'avais jamais rien goûté d'aussi bon. Bernardo m'avait entretenue, en long et en large, sur les saveurs de l'huile d'olive qui différaient selon la situation géographique des oliveraies, leur mode d'exploitation, la variété des olives pressées, les techniques de fabrication, les caprices du temps... tout cela conférait à chaque huile sa qualité propre.

— Une huile hors classe. Il n'y a pas à dire, c'est un grand cru.

J'étais assez fière de pouvoir enfin faire bonne figure auprès des enfants de mon amoureux. J'en savais suffisamment sur l'huile d'olive pour la qualifier et la distinguer de ses consœurs. Je remerciai tout bas Bernardo pour cet apprentissage. Il en va des huiles comme des grands vins. Et je voulus faire goûter l'huile à Massimo. Je ne sais pas encore comment je fis mon compte mais, en passant la cuillère à mon ami, nos mains se heurtèrent et la précieuse huile – le « saint chrême », comme dirait plus tard Massimo – vola dans les airs pour finalement atterrir en partie sur le tapis et en plein sur la belle cravate en soie de Tonino.

J'eus beau me confondre en excuses, essayer de réparer ma gaffe avec une serviette, promettre de remplacer la cravate, d'en acheter deux s'il le fallait, le mal était fait. Je ne savais plus où me mettre. Il y avait également quelques gouttes sur le tapis, mais, comme me dit Graziella, c'était du synthétique, ça partirait facilement ; pour ce qui était de la cravate, en revanche, il semble que c'était ir-ré-pa-ra-ble. Elle venait bien sûr d'Italie, d'un grand designer de surcroît, et aux dires de Tonino on n'en trouverait-jamais-une-semblable-puisque-c'était-une-pièce-unique. Il ne manquait plus que ce soit sa mère qui la lui ait offerte avant de mourir et c'en aurait été fini de moi, à vie.

Nous quittâmes les lieux presque aussitôt. Je trouvais que, pour une première rencontre, j'en avais fait suffisamment. Graziella me remercia chaudement de ma visite.

Une fois dans la voiture, je ne savais plus si je devais rire ou pleurer. Je laissai échapper un long cri d'impuissance en me traitant de tous les noms.

— Veux-tu que je te les apprenne en italien ? me proposa Massimo. Histoire d'en finir avec ce gâchis ! Je pense que là, côté gaffe, c'est ton top !

Et il éclata d'un grand rire.

— Eh ben ! Tu n'es pas sortie de l'auberge italienne, lança-t-il tout en continuant de rire à gorge déployée.

— C'est l'auberge espagnole, qu'on dit, maugréai-je entre mes dents.

— Oui, mais dans les circonstances, « italienne » est mieux adapté.

— Pas sûre qu'il y ait grand-chose qui s'adapte dans cette histoire, déclarai-je, découragée.

— Il est drôlement attaché à la défunte mère, *il figlio della mamma*, ajouta Massimo. Dans l'ensemble, tu ne t'en tires pas si mal. En fin de compte, il n'y a que *la cognata* qui voulait t'arracher les yeux et *il figlio* qui va vouloir te pendre avec sa belle cravate de designer toute tachée d'huile.

— La belle-sœur, elle est loin, mais le fils… il est ici, tout près. Je ne pourrai plus jamais me présenter devant lui.

— Tu n'auras pas de misère de ce côté-là, rétorqua Massimo, en reprenant son fou rire. Je suis sûr qu'il va tout faire pour se tenir loin de toi!

— Arrête de rire, grand nono. C'est pas comme si j'avais fait exprès! Ça risque d'être joli, lors de mes passages à Montréal; tu savais que Tonino partage l'appartement de Bernardo?

— Tu prendras mon atelier-studio si ça devient trop infernal.

— Et toi? demandai-je à Massimo. Où est-ce que tu vas loger?

— En Angleterre et à Pitigliano.

— Je ne comprends pas. Et le film à Montréal?

— Je n'ai pas l'intention de le faire. Je venais voir, c'est tout. Mais je n'ai plus envie de tout ce cirque. *Basta*. J'ai donné.

— Qu'est-ce que tu vas faire?

— Je pense sérieusement quitter Montréal. D'abord un stage à Londres, chez le fameux perruquier dont je t'ai parlé. Si tout fonctionne comme je veux, il me prend avec lui dans deux semaines. Après…

— Oui, après?

— Retour à Pitigliano pour fabriquer en toute tranquillité les perruques que je vais louer pour un prix de fous aux gens du cinéma, puisqu'elles seront les plus belles au monde. Voilà.

Ce n'était jamais plus compliqué que cela avec lui. Il devait songer à ce scénario depuis des lustres et, maintenant qu'il se sentait prêt, il allait de l'avant. J'enviais sa détermination, sa prise de position. Moi, j'étais plutôt du genre à tergiverser, à hésiter, à avoir souvent peur de me tromper.

Mon cellulaire sonna, mettant fin à notre conversation sur nos avenirs respectifs.

C'était Henri. Avec sa belle voix ensoleillée.

— Mais tu es où ? l'interrogeai-je. À Marrakech ou dans le désert ? Ah bon ! À Saint-Lambert ! Beaucoup moins poétique. Moi, je suis en ville pour deux jours. Des choses à régler. Je te raconterai. Je suis avec Massimo.

Henri venait de rentrer de son long tournage et me proposait d'aller manger avec lui et son chum. Il serait ravi de retrouver Massimo. La dernière fois qu'ils s'étaient vus, c'était au mariage d'Allison, quelques mois auparavant.

Je mis la main sur le combiné et demandai à Massimo si la perspective d'un repas avec Henri et Thomas lui plaisait. Il acquiesça d'un hochement de tête. Le rendez-vous fut pris. D'abord chez Henri, et on aviserait pour le resto. Nous profitâmes de notre présence dans la Petite Italie pour faire quelques courses au marché Jean-Talon. Des fruits et des légumes chez Nino, qui était ravi de nous voir, des œufs frais, quelques barquettes de framboises avant qu'il n'y en ait plus, des citrons confits de L'Olivier, du pain de Première Moisson, des épices de Philippe de Vienne, du veau de Charlevoix. Et un petit arrêt obligatoire au Havre aux Glaces, même si on allait manger dans quelques heures. Ça nous rappelait, à Massimo et à moi, les fameux *gelati al limone* d'Italie. Pas tout à fait comparables, mais s'en approchant.

Toute cette activité m'aida à faire passer l'apéro plutôt étrange qu'on venait de prendre. Je m'en voulais encore et me répétais *ad nauseam* que j'avais sûrement tout fait foirer. Je n'avais de cesse de songer à ce qui s'était produit chez les enfants de Bernardo. Rien n'était vraiment gagné d'avance dans cette histoire. Je me faisais la réflexion que, Bernardo et moi, ça avait été foudroyant au départ, puis que tout avait fonctionné au ralenti par la suite, mais que, maintenant, nous roulions sans trop de heurts. Ainsi, lorsque deux locomotives se rencontrent et cheminent côte à côte, la route peut être belle. Mais quand vient le temps de rattacher les uns aux autres tous les wagons de chacun, c'est-à-dire les enfants, la famille, le passé, le travail, il faut que ces éléments réussissent à progresser sur les mêmes rails, et c'est là que ça pose problème.

— Ou que ça fait tache d'huile, me souligna Massimo, en s'étouffant de rire.

32

Henri était en face de moi, et il était méconnaissable. Il avait perdu au moins dix kilos, sinon plus. Et lorsque je le serrai dans mes bras, je sentis ses côtes saillir sous mes doigts. Lui qui avait toujours été juste un peu enveloppé, voilà qu'il n'avait plus que la peau et les os. Je n'en finissais plus de refermer l'étreinte de mes bras sur lui. Je restai longtemps à le tenir contre moi. C'est là que je croisai le regard de Thomas par-dessus l'épaule d'Henri. Mes yeux le suppliaient de m'en dire davantage sur l'état de son chum. Qu'est-ce qui avait bien pu se passer ? Il avait les traits tirés, son beau visage était amaigri et l'amas de mousse bouclée qui constituait sa chevelure était maintenant presque entièrement blanc.

La seule autre fois où je l'avais vu dans cet état, ça bardait dans son couple. Thomas avait eu une aventure et Henri croyait le perdre. Il avait fondu. Mais je savais cette fois-ci que ce n'était pas une infidélité qui avait causé cette perte de poids.

— Tout a bien été là-bas ? demandai-je à mon bel Henri. Pas facile, le tournage dans le désert ?

Il se garda bien d'accuser le Sahara de son changement radical.

— Au contraire, nous raconta-t-il. Cette immensité est magnifique puisqu'elle change à chaque heure du jour. Un décor rêvé. Un peu difficile à contenir et à refaire tel quel pour les raccords, tout au long des prises, mais tellement grisant. Te dire comment on a pelleté pour refaire une dune ici, un amoncellement là. Pire que le pire des hivers. Mais quel bac à sable génial !

Il était, malgré tout, jovial et plein d'enthousiasme. Je reconnaissais son côté enjoué et imaginatif. Toujours prêt à trouver une façon d'aménager ou d'inventer un décor, même si les intempéries sont contre vous. Je retrouvais un peu de l'Henri que j'aimais tant, celui qui s'amusait comme un ti-cul lorsqu'il avait la possibilité de créer.

Il nous parla aussi des gens du pays avec qui il collaborait. Non pas les vedettes du film – et la brochette était impressionnante –, mais plutôt les artisans. Ceux dont le nom passe à une vitesse folle au générique, mais qui travaillent d'arrache-pied, qui virent la planète à l'envers pour trouver le meuble, le tissu, l'accessoire, la couleur qui fera toute la différence au grand écran.

Massimo et moi reprîmes l'apéritif avec Thomas et Henri. On parla vaguement d'un resto de sushis pour plus tard. Pour l'instant, nous nous penchions sur le récit du dernier tournage d'Henri ; il ne tarissait pas d'éloges sur sa vie de nomade entre Marrakech, les petits villages du sud du Maroc et le désert. Je n'osais pas lui demander ce qui s'était passé pour qu'il nous revienne dans cet état. Il racontait le tournage, les ennuis, la fatigue, et finalement il aborda son départ précipité vers Montréal.

— Ils ne savent pas ce que j'ai exactement. Je dois commencer une série de tests demain. Drôle de vie que la nôtre, lança-t-il en direction de Massimo. On saute des repas, et d'un autre côté on passe notre vie au *craft*, donc on mange trop, on dort peu, et je ne te parle pas de la température. La nuit, on gèle dans le désert, et le jour, on crève.

Massimo fit allusion à son dernier tournage en Chine, qui ressemblait à ce qu'Henri décrivait. L'un et l'autre échangèrent sur ce qu'ils avaient vécu. Puis Thomas prit la parole pour faire état des problèmes de santé de son homme.

— Les médecins de là-bas croient qu'il s'agit de quelque chose qui ne tourne pas rond dans ses artères. Rien d'alarmant pour le moment, mais il ne doit pas négliger ça.

— Tu dois retourner sur le plateau ? s'informa Massimo.

— Non. Il ne restait plus que la deuxième équipe en place, le tournage est pratiquement terminé. Mon assistant assure la direction des opérations. Mais cette immensité rose va me manquer.

— Tu as peur ? demandai-je à mon ami.

— Pas trop, Olivia. Tu vois, s'il y a quelque chose de grave, ils pourront intervenir à temps. Je ne devrais rester à l'hôpital que quelques jours.

— Le temps qu'il s'habitue aux draps rêches, au manger mou et au bruit infernal, ajouta Thomas. Après ça, il va aimer revenir à la maison pour y rester un peu.

On sentait que Thomas s'était ennuyé de son chum. Henri lui passa la main dans les cheveux pour le rassurer sur le sujet.

— Je vais me reposer un peu. Je ne suis plus aussi jeune et je me sens fatigué.

— Plus aussi jeune ? répéta Massimo. Qu'est-ce que tu vas faire à mon âge vénérable ?

— Je vais avoir l'air d'un petit vieux, comme toi.

Les gars se tirèrent la pipe au sujet de leur âge, de leur condition physique actuelle et de leur degré de fatigue selon le métier qu'ils exerçaient. Les tamalous se plaignaient joyeusement. Thomas avait l'habitude de travailler au grand air et avait la peau burinée d'un homme du désert. Ses mains, ses genoux et ses coudes souffraient également de l'humidité, tandis que Massimo parlait de l'effet de la station debout, de ses pieds qui commençaient à le faire souffrir, et de son canal carpien bouché qui engourdissait régulièrement ses mains. Mon cellulaire sonna à ce moment; je me déplaçai vers la cuisine pour ne pas les déranger. Ils continuèrent à jouer à celui qui avait le plus de bobos et à qui sortirait le grand gagnant de l'épreuve du plus amoché par le travail et la vie, tandis que je prenais l'appel.

C'était Lulu. Elle semblait affolée. Elle se trouvait dans un restaurant du centre-ville et elle s'était réfugiée dans les toilettes pour me passer cet appel au secours. Puisque c'est de cela qu'il s'agissait. Le mec avec qui elle clavardait depuis des semaines avait réussi à convaincre Lulu de le rencontrer enfin. Elle ne l'avait d'abord absolument pas reconnu. La photo qu'il lui avait soumise n'avait rien à voir avec sa personne. Autant il était raffiné dans son langage textuel, autant il était rustre de vive voix. La sensualité toute délicate dont il faisait usage lors de leurs échanges virtuels s'était vite transformée en une sexualité exacerbée et pressante. Elle cherchait comment s'y prendre pour s'en débarrasser.

— Dans quel restaurant es-tu?

— Au sushi bar où la gang a l'habitude d'aller. Je ne sais plus quoi faire. Il connaît tellement de choses sur moi. J'ai peur, Olivia. Et ne me dis pas que je suis idiote, que j'aurais dû être plus prudente, et que…

Je lui ordonnai de ne pas bouger de là. J'arrivais. Avec de l'aide.

— Retourne dans la salle à manger, tu n'es pas trop en danger entourée de monde. Fais comme si de rien n'était, je serai là dans moins de quinze minutes.

Je refermai mon téléphone aussitôt et rejoignis mes copains.

— Les gars, j'ai une mission de sauvetage pour vous. Ça presse.

— Oui, mais notre souper au resto japonais, qu'est-ce que tu en fais ? demanda Thomas.

— C'est justement là qu'on s'en va. Je vous explique en chemin.

Lorsqu'on entra dans le bar, on fit le tour de la salle du regard. On avait l'air des quatre mousquetaires prêts à la bataille. Je leur avais pourtant enjoint d'être un peu discrets. J'avais mis mes amis au parfum du nouvel engouement de Lulu pour les sites de rencontres puisqu'elle se sentait délaissée par Armand. Jusque-là, elle n'avait pas sauté le pas en dehors du monde virtuel, mais ce soir, elle semblait mal prise avec un énergumène qui voulait lui gâcher la vie.

Une jeune fille vint à notre rencontre et nous assigna des places à l'autre bout de la salle « pour qu'on soit plus tranquilles », avait-elle dit. Massimo prit aussitôt les choses en main et réclama plutôt une table qui se trouvait assez près de celle qu'occupaient notre amie Lulu et son invité. Nous passâmes tout près d'eux et, au regard que me lança ma copine, je compris qu'elle ne se sentait pas complètement à l'aise, mais du moins déjà plus en sécurité. Nous commandâmes, mangeâmes et discutâmes un peu de nous, tout en observant le couple à proximité. On parla du travail de Thomas au pavillon japonais du Jardin botanique, des projets qu'il avait en Californie et au Japon, et de son court séjour auprès d'Henri dans le sud du Maroc. Massimo décrivit sa nouvelle maison à Pitigliano, évoqua son envie de laisser le métier, sur le terrain du moins, et raconta notre voyage en Toscane. Puis, bien sûr, Henri et Thomas voulurent tout savoir de l'Italien qui prenait de plus en plus de place dans ma vie. Pour l'instant, j'avais envie de garder la chose assez secrète, mais Massimo se fit un grand plaisir d'entrer dans les détails. Il leur parla même de l'accueil plutôt froid d'un des enfants et, bien entendu, de la gaffe incroyable que je venais tout juste de commettre. Massimo joua la scène en entier et conclut de cette façon :

— Comment se faire des amis ou comment mettre son beau-fils de son côté ! déclara-t-il, fier d'avoir eu l'attention et les rires des copains.

Moi, je ne cessais de regarder du côté de Lulu, qui paraissait subir non pas les assauts d'un pervers, mais le récit ennuyeux de sa vie. Puis vint la discussion au sujet de mes déboires avec la maison. Je ne participai que distraitement à cette conversation. Toute mon attention était tournée vers Lulu, qui avait l'air de plus en plus dépassée par la situation. Le gars s'enhardissait ; toutes les occasions étaient bonnes pour qu'il lui prenne la main, lui effleure le bras, l'embrasse par-dessus la table. Il parlait sans arrêt et très fort. Il n'était pas trop difficile de l'entendre pérorer sur sa personne et sur sa vie bien remplie. Mon amie Lulu semblait incapable de se sortir élégamment de ce pétrin. À un moment, j'en eus plus qu'assez de la voir ainsi et j'attirai l'attention de mes amis pour leur rappeler la mission que je leur avais confiée.

Les gars eurent une idée qui, aux dires de Massimo, était infaillible. Il chuchota quelque chose à l'oreille de Thomas, qui rit avant d'acquiescer. Ils se levèrent d'un commun accord. Tout en faisant mine de se diriger vers les toilettes, ils passèrent près de la table où se trouvaient Lulu et son comparse. Massimo ne fit ni une ni deux, ignorant complètement Lulu, il se précipita sur le gars comme s'il le reconnaissait. Il alla même jusqu'à l'embrasser sur la bouche. Il prit Thomas à témoin.

— Chou ! Tu te souviens de… C'est quoi au fait ton nom ? demanda-t-il au gars.

— On se connaît ? lui répondit l'inconnu en s'essuyant la bouche du revers de la main.

Massimo prit une voix lubrique et entendue.

— Fais pas ta mijaurée, fille. La dernière fois qu'on a échangé, déclara-t-il d'un air complice, tu n'avais qu'une petite serviette autour de la taille. Mais tu l'as vite laissée tomber.

Et cherchant l'assentiment de Thomas, il ajouta :

— Hein, mon loup ?

Reportant son attention sur le gars, qui rougissait de plus en plus, il lui dit qu'il ne pouvait pas les avoir oubliés, lui qui était un habitué des saunas gais. Le mec devint tellement mal devant ces allégations qu'il ne savait plus où se mettre. Puis Massimo s'adressa à Lulu comme s'il ne l'avait jamais vue :

— Heille, fille ! Tu devrais laisser ce gars-là tranquille, il n'est pas dans ton équipe. Si tu vois ce que je veux dire.

L'homme fut si embarrassé – peut-être Massimo avait-il touché une corde très sensible – qu'il se leva, ramassa son portable et quitta la table sans saluer Lulu, et surtout sans demander son reste. Massimo enjoignit à Lulu de venir s'asseoir avec nous à la table d'à côté.

— Viens, fille ! lança-t-il, jouant toujours le jeu. Tu vas avoir pas mal plus de fun avec nous. Et t'es pas mal plus en sécurité avec nous quatre.

On rit de la situation jusqu'à tard dans la soirée. Un peu plus et le personnel du restaurant nous renversait sur les tables en même temps que les chaises. Tous pour un et un pour tous !

33

J'étais allongée dans mon lit, nageant encore dans les brumes du sommeil, lorsque je sentis qu'on me grattait la joue. Je me réveillai en sursaut. C'était Maxou qui me triturait le visage avec sa patte. Avant que je réalise exactement ce qui se passait, j'entendis la sonnerie du téléphone. Un appel en pleine nuit? Je m'assis d'un bond dans mon lit, regardai l'heure sur le réveil. Trois heures du matin. La petite? Je me précipitai sur le combiné, à moitié endormie, et accrochai du même coup le verre d'eau posé sur la table de chevet.

— Bordel! dis-je, avant de prononcer les mots d'usage lorsqu'on répond au téléphone.

— *Pronto?* Euh... Allo?

— Bernardo? C'est toi?

— Ma douce, je te réveille?

— Oui. Ah, merde!

— Qu'est-ce qui se passe? s'inquiéta-t-il.

— Rien. En fait, je viens de renverser un verre. Mais il n'y a rien de cassé.

Je m'aperçus en même temps que j'avais un peu d'aide, puisque Maxou et Rosie s'étaient mis tous les deux à la tâche et léchaient à grandes lampées toute l'eau répandue. J'étais complètement réveillée.

— Il est arrivé quelque chose de grave? demandai-je au nouvel homme de ma vie.

— Oui, me dit-il d'une voix très tendre. Tu es là-bas, à Knowlton, et moi ici, à Pitigliano. Tu sais le nombre de kilomètres qui nous séparent ?

— Non, avouai-je, aussi triste que lui, tout à coup. Je ne suis pas sûre que je veux le savoir.

— Tu me manques, *amore mio. Terribilmente.* Tu comprends ?

— Oui, oui. Toi aussi, tu me manques terriblement. Mais…

— Viens me rejoindre. Je n'en peux plus.

Une vague de chaleur s'empara de moi et m'envahit de la tête aux pieds. Des bribes d'images où il me caressait glissèrent devant mes yeux. Je soupirai fortement dans le combiné.

— Je ne peux pas pour le moment, tu le sais. C'est pas que je n'en ai pas envie. Je laisserais tout en plan ici et j'arriverais en courant dans tes bras. Mais il y a la maison. Je dois régler ça au plus vite si je veux être capable de passer à autre chose. Toi ? Tu ne peux plus te déplacer ? Oui, je sais, tu en reviens.

On se tut tous les deux. J'entendais nos souffles à l'unisson. Puis lorsqu'on brisa le silence, ce fut pour déclarer en même temps que l'autre nous manquait horriblement. Alors on a ri. Et ça aussi, c'était bon. Bernardo m'a demandé comment évoluait le dossier avec l'avocat.

— Lentement, affirmai-je. Certains jours, j'ai l'impression que je vais y laisser ma chemise.

— Laisse-moi t'aider, m'implora de nouveau mon amant.

Je lui dis que, pour le moment, les choses allaient. On m'avait contactée pour du travail de révision et le boulot ne manquait pas. J'acceptais tout ce qui passait. Massimo veillerait à me secourir si ça s'envenimait. Puis je sentis qu'il hésitait. Il tourna un peu autour du pot et finalement se jeta à l'eau. Il fallait absolument qu'il aborde un sujet délicat. Il me mit au courant d'un appel de son fils. Au sujet de notre rencontre.

— Ma fille t'a adorée. Elle ne tarit pas d'éloges sur toi. Son mari également. Il a trouvé Massimo très drôle.

— Mais pas ton fils? soufflai-je après un court silence.

— Eh bien...

— Faut dire que je n'y suis pas allée de main morte. J'ai vraiment fait une folle de moi.

Silence au bout du fil.

— Je suis vraiment désolée pour sa cravate. Je lui ai promis que je la remplacerais dès que je retrouverais la même, ou une de même valeur.

— La cravate? demanda Bernardo, étonné.

— Ben oui! J'ai renversé une cuillère d'huile, dont une partie s'est répandue sur le plancher et l'autre sur la cravate de Tonino. Heureusement, le tapis a été épargné. Ton fils me rendait tellement nerveuse avec toutes ces allusions à sa mère que la cuillère m'a glissé des mains. Je suis désolée.

Il y eut encore un long silence.

— Pour Tonino, ça va être un peu plus long, je crois. Pour le moment, ce n'est pas encore le grand amour, répliqua Bernardo.

— Oh! Je n'en demande pas tant! m'exclamai-je. C'est un garçon gentil. Sa mère lui manque encore.

— Oui, je sais. Lui et ma belle-sœur sont plutôt conservateurs. La bouteille renversée, ce n'est rien; c'est un accident. Mais tu n'aurais pas dû faire allusion au mariage.

Je tombai des nues.

— Quel mariage? demandai-je aussitôt.

— Notre mariage. Tonino m'a dit qu'il ne comprenait pas pourquoi tu voulais qu'on se marie le plus rapidement possible.

Je pris le temps de réfléchir. Vite. Une foule d'images se bousculaient dans ma tête. Je revis Tonino qui tenait amoureusement la photo de sa mère ; puis celle qui se trouvait juste à côté, représentant ses parents le jour de leurs noces. Je ne savais pas trop comment révéler à mon amant que je n'avais jamais, au grand jamais, parlé de mariage. Je ne savais pas combien de temps durerait notre amour. Nous n'en étions qu'aux balbutiements. Et je n'aurais jamais osé parler à ses enfants d'une union officielle. Surtout pas à notre première rencontre. J'aurais laissé Bernardo se charger de la nouvelle. Si nouvelle il y avait eu. Mais si j'affirmais maintenant très fort que jamais je n'avais abordé ce sujet avec Tonino, c'est comme si j'accusais son fils de mentir. Je pris une longue inspiration.

— Bernardo, je crois que Tonino est sensible et qu'il ne m'accepte pas du tout. Pour l'instant, précisai-je. Je n'ai jamais fait mention d'un mariage possible entre toi et moi. Jamais. J'ai l'impression que ton fils a encore beaucoup de peine d'avoir perdu sa mère. Le jour où il comprendra que je ne veux absolument pas prendre sa place, peut-être qu'il pourra m'apprécier un peu.

Le silence au bout du fil s'éternisait. Je me doutais que je n'avais pas réussi à le convaincre.

On en resta là. Mais je bouillais intérieurement. J'avais déjà eu la belle-sœur sur le dos en Toscane, et voilà que le fils s'y mettait. En essayant de me brouiller avec son père. « On n'est pas sortis de l'auberge », comme l'avait si bien dit Massimo. Les amours de jeunesse se nouent plus aisément. On n'a que nos deux familles immédiates à concilier. Et lorsqu'on est jeune, on s'en fout un peu, de la famille. Tout ce qu'on veut, c'est en fonder une à notre tour. Mais les unions qui se forment quand la famille est établie de part et d'autre, c'est là que ça se corse. Peut-être que Vincent n'aimera pas du tout Bernardo, lui non plus.

Je décidai de mettre fin à cet appel parce que l'angoisse commençait à m'étreindre sérieusement. J'embrassai mon bel amoureux, lui assurai que j'essaierais d'arranger les choses avec son fils le plus rapidement possible – même si je ne savais absolument pas de quelle façon – et lui promis de le rappeler bientôt.

Je le sentis froid et tendu. J'essayai de ne pas faire un drame de si peu.

— Bernardo, ce n'est pas comme si j'avais tenté d'assassiner ton fils, je n'ai fait qu'éclabousser sa belle cravate. Sans faire exprès. C'est un accident stupide. Et je te jure que je n'ai jamais parlé d'un mariage éventuel entre nous.

La réponse fusa comme une flèche et m'atteignit en plein cœur.

— Olivia, mon fils n'a jamais menti.

— Moi non plus, Bernardo. Je ne mens pas.

Je ne suis pas allée plus loin parce que j'aurais explosé. Bernardo conclut la conversation avec une vague formule de politesse. J'étais soufflée. Bon ! Eh bien ! Je ne savais plus quoi penser. Quelque chose de terrible hurlait dans mon ventre. « Ton aventure italienne se termine ici, ma chérie. » Fini le conte de fées, fini le bel amoureux, fini les caresses sublimes, les rires, les longs échanges. *Basta !* Je n'arrivais pas à pleurer. J'étais trop en colère. Et je ne pus refermer l'œil de la nuit.

Lorsque je me levai, le jour faisait de même. La journée ensoleillée qui s'annonçait serait plus radieuse que moi vu la brièveté de ma nuit de sommeil ; sans compter le rappel de la déclaration de guerre du fils de mon amoureux. Un instant, j'avais envie de me battre contre vents et marées pour donner une chance à cet amour, et l'instant d'après j'étais prête à rendre les armes. Trop compliqué. On ne commence pas une relation par un gros mensonge. Cette famille ne voulait pas de moi ? Eh bien, tant pis ! Je continuerais ma vie de femme seule, dans ma trop grande maison qui, elle aussi, me faisait des misères.

Les chats s'étaient rendormis sur la couette. Je n'osai pas refaire le lit de peur de les déranger. Un café me ferait le plus grand bien.

Je n'eus même pas le temps de le prendre que ça sonnait déjà à la porte. Qu'est-ce que tout le monde avait à se présenter aux aurores ? Bernardo était pourtant au courant du décalage horaire entre le Québec et l'Italie, mais son empressement à me parler avait été le plus fort. Moi qui avais d'abord cru que cet élan, en pleine nuit, était celui d'un amoureux transi.

Mais je ne savais rien de la personne qui tambourinait sur la vitre de la porte d'entrée avec emportement. Pas une autre mauvaise surprise ! J'avais déjà mon quota pour la journée. Même s'il était très tôt. Sans doute s'agissait-il d'un représentant des témoins de Jéhovah, qui se faisaient de plus en plus assidus malgré mon refus de discuter avec eux.

J'ouvris brusquement la porte. Le petit groupe qui se tenait devant moi, tout sourire, me fit monter les larmes aux yeux. J'éclatai en sanglots de les voir si rieurs. Ils étaient là, tous les trois. Revenus de loin, mais si heureux. Je me précipitai vers eux et j'embrassai tour à tour François, Albert, que je n'avais pas vu depuis longtemps, et le petit Miro, un peu intimidé, mais tout content à la vue de Maxou et Rosie, qui m'avaient accompagnée jusqu'au seuil.

34

Ils restèrent peu de temps. Comme Albert et Miro venaient à peine de descendre d'avion, ils étaient passablement fatigués. Miro avait peu dormi, trop excité probablement par tout ce qui était nouveau pour lui. Et François avait hâte d'installer son petit, qui lui avait tant manqué, dans sa nouvelle maison. Albert riait sans arrêt, les yeux remplis de larmes. Et Miro marchait à la suite des chats, pas encore très solide sur ses petites jambes, les deux mains tendues vers l'avant, en répétant en mandarin, aux dires d'Albert, « minou... minou ». Cet enfant était magnifique. Une peau de soie, des cheveux de charbon luisants, des yeux vifs et rieurs, un coquelicot gourmand et rouge à la place de la bouche.

Albert raconta les péripéties des dernières semaines, mélangeant des mots en français à d'autres en mandarin. Ça n'avait pas été de tout repos, ces jours entre l'hôtel et l'hôpital, les bureaux administratifs et l'ambassade. Mais il s'en était pas mal tiré, même s'il avait dû tout faire seul. Albert s'était permis quelques jours de congé pour aller visiter la Grande Muraille de Chine, certains quartiers populaires, les rives, les vieilles maisons et les marchés aux oiseaux, histoire de se rappeler ce pays et de fabriquer quelques souvenirs pour Miro.

— Ce pays est tellement beau ! Les gens sont formidables, nous confia Albert, dont la fatigue commençait à poindre dans la voix. Si je m'étais écouté, et s'il n'y avait pas eu Miro à ramener, je serais resté pour aider. La richesse côtoie une extrême pauvreté. Il y a tellement de besoins là-bas.

— Heureusement que mon défenseur de la veuve et de l'orphelin s'est un peu retenu, spécifia François, un sourire dans la voix. Sinon, c'est par douzaines qu'il les aurait ramenés.

— On en a tellement acheté, de ces petits Chinois, vous vous rappelez ? mentionnai-je aux gars. Non, c'est vrai. Vous êtes trop jeunes.

— Pas tant que ça. Ma sœur en a acheté un et un autre, me dit François en riant. Pauvres eux ! Elle les appelait Benoît, Michel, Francine, Nicole...

Il rit au souvenir de cette époque.

— Ma mère n'en pouvait plus de nous voir revenir de l'école, mes sœurs et moi, avec des cartes de petits Chinois qu'on achetait à coups de vingt-cinq cents, raconta Albert pour sa part. Ma mère répétait tout le temps : « Les enfants, vous ne trouvez pas qu'on est assez comme ça dans la maison ! »

Il parla du nombre de gens qui se trouvaient en Chine.

— On en a trop acheté, et on les a laissés sur place. Te retrouver seul dans ta bulle, là-bas, c'est impossible. Il y a des gens partout. Tu es assailli de tous les côtés en même temps. Et puis, tu t'y fais. Ça devient même rassurant, à un moment donné.

Je n'eus pas de difficulté à comprendre qu'il avait eu du mal à quitter ce pays et les gens qu'il avait côtoyés. C'était fascinant de réaliser à quel point Albert s'était intégré à cet univers pendant ces longues semaines où il lui avait fallu attendre la guérison de Miro.

Le petit et Albert échangeaient quelques mots en mandarin et, l'instant d'après, en bon professeur, mon ami de toujours traduisait pour l'enfant et le faisait répéter. Je regardai François, qui se tenait près de moi sur la terrasse, et lui demandai s'il ne se sentait pas trop mis à l'écart.

Il me fit signe que non, ajoutant qu'il fallait prendre le temps. Miro allait tranquillement défaire, maille par maille, la cellule tricotée serré qu'Albert et lui avaient réalisée, par la force des choses.

Cette réflexion de mon ami m'amena à penser aux liens étroits qu'avait dû tisser Bernardo avec son fils après le décès de la mère de celui-ci. Liens que je n'arriverais sûrement pas à dénouer du jour au lendemain.

Ça m'aidait un peu à comprendre ce que j'avais à vivre si je voulais me retrouver un jour dans cette famille. François poursuivit.

— Pour tous les deux, c'était une question de survie. Ce n'est pas ce qui m'inquiète le plus.

— Qu'est-ce qui t'effraie ? le questionnai-je, m'attendant à tout sauf à ce qu'il me répondit.

— La chienne.

— Quoi, la chienne ?

— J'espère juste que ses antidépresseurs vont faire effet.

Il faut dire que Betty, la chienne de François, était une bête formidable, racée, mais névrosée au possible. Lorsqu'ils en avaient fait l'acquisition, elle revenait d'un séjour pas très réussi dans une famille. Le vendeur avait cru que la famille en question s'en était mal occupée. La chienne était folle. Quand les membres de la maisonnée revenaient, soit du travail soit de l'école, elle sautait dans tous les sens, bousculait les enfants, allant jusqu'à les jeter par terre. Elle était insatiable. Ni les caresses ni les récompenses n'arrivaient à calmer l'animal. Les enfants avaient commencé à avoir peur d'elle et les parents en avaient conclu que cette chienne pouvait être dangereuse pour les petits. Ils l'avaient donc retournée au chenil. Au moment où François et Albert l'avaient recueillie, le vendeur ne leur avait pas caché que cela ne s'était pas bien passé dans la précédente famille. Lorsque ses nouveaux maîtres quittaient la maison ou que quelqu'un venait leur rendre visite, la chienne manifestait les vieilles peurs, le même comportement angoissé que par le passé. Une fois laissée seule dans la maison, elle mangeait tout ce qui lui tombait sous la dent. François et Albert avaient pris tous les deux un cours de dressage et suivaient, à la lettre, les recommandations du maître-chien. Ils avaient beau la punir, mettre tous les objets à l'abri de la bête, cette dernière trouvait le moyen de se procurer autre chose à mordre. Comme elle avait passablement grandi, ils avaient toutes les peines du monde à la contenir. Ils avaient finalement consulté un vétérinaire comportementaliste. Il n'était absolument pas question de se défaire du chien. Ils l'aimaient beaucoup et espéraient venir à bout de son tempérament névrotique. Betty n'était pas dangereuse, elle faisait seulement partie de ces êtres qui aiment trop.

Le vétérinaire leur avait suggéré, dans un premier temps, de se procurer une cage assez grande, ce qui mettrait la maison à l'abri des dégradations du monstre et offrirait au chien une certaine quiétude – l'animal se sentant plus en sécurité en étant confiné dans un refuge plus restreint qu'une grande maison. Il avait aussi recommandé d'installer des caméras pour surveiller le comportement de leur chienne durant leur absence. Ce qui fut fait, non sans frais. Et le résultat était évident. Lors d'un de nos soupers, François et Albert nous avaient présenté la vidéo du chien fou. La bête avait réussi à coups d'efforts répétés à faire bouger la cage dans la pièce, à tirer à l'aide de ses pattes et de sa gueule un grand tapis. Elle était parvenue à le faire entrer dans la cage, en tirant et en mâchouillant la pièce de laine, puis à la déchiqueter en petits morceaux en l'espace d'une heure ou deux. Puis, par on ne sait quelle contorsion, Betty avait pu sortir de la cage, en forçant les barreaux avec sa tête et sa gueule jusqu'à les faire plier.

Finalement, le spécialiste en était venu à la conclusion que ce chien souffrait d'un fort sentiment d'abandon et qu'il n'y avait que les antidépresseurs qui pouvaient en venir à bout. La chose s'était révélée très efficace. La bête s'était calmée, et ses comportements s'étaient améliorés.

Tout comme François, j'espérais de tout cœur que Miro n'aurait pas peur de ce grand chien fou. À le voir s'intéresser à mes chats, j'avais plutôt confiance.

— Minou... minou... minou... Miaou! Miaou! ne cessait de répéter Miro, qui tentait toujours d'attraper Maxou et Rosie, lesquels ne se laissaient pas approcher si facilement.

Soudain, Miro s'arrêta pile devant moi et me regarda pour la première fois depuis son arrivée. Il tendit les bras vers moi en répétant un mot en mandarin. Puis il se tourna vers son nouveau papa comme s'il cherchait son accord. Il répéta le mot à plusieurs reprises en ramenant son regard vers moi. Albert était estomaqué.

— Qu'est-ce qu'il dit? avons-nous demandé en même temps, François et moi, pendant que je me penchais vers le petit.

— «Maman!» Il t'a appelée «maman»! me répéta Albert.

35

Nous restâmes tous les trois à nous regarder alors que Miro continuait de m'appeler « maman ». Un joli mot en mandarin qui m'était tout à fait étranger.

— Pour une déclaration, c'en est toute une ! dis-je, émue.

— Ce n'est pas nous qui décidons, décréta Albert. C'est Miro qui a demandé si c'était toi sa maman. Le rôle te tente ?

— Ah ! Oui ! m'exclamai-je, de plus en plus attendrie. Si vous croyez que Miro a besoin d'une maman et que vous acceptez que ce soit moi, je veux bien, affirmai-je à mes amis. Je serai sa maman d'occasion.

Ils me sourirent, heureux que la chose se fasse si facilement.

— Sentez-vous bien à l'aise, ajoutai-je. Je ne voudrais pas prendre la place de quelqu'un d'autre. Vous aviez sûrement envisagé une vraie maman. Une personne plus jeune que moi, parce qu'une maman ça doit vivre longtemps, on en a tout le temps besoin ; j'ai juste à regarder mon fils aller, ces temps-ci. Mère un jour, mère toujours. Hein, Miro ? Qu'est-ce que tu en dis, toi ?

Pour toute réponse, il répéta « maman ».

— Ta mère ne sera pas offusquée ? demandai-je à François.

— Non, répondit-il prestement. Ma mère, c'est la grand-mère, c'est déjà assez comme ça. On avait l'intention de te le proposer, de toute façon. Miro a été plus rapide que nous.

Je tendis les bras vers Miro, qui vint me rejoindre simplement. « Me voilà mère d'adoption et grand-mère en même temps ! » songeai-je. J'en avais plein les bras ces temps-ci. On s'assit à la terrasse le temps de prendre une limonade. Comme les garçons étaient habitués à ma maison, ils préparèrent ce qu'il fallait et apportèrent le tout sur la grande table extérieure. Je remarquai qu'il manquait de peinture à certains endroits sur les chaises et sur le dessus de la table. Je me fis la réflexion que, puisque j'étais couronnée mère d'adoption, ce serait le genre de petits travaux que je devrais mettre de côté. Je tenais toujours Miro, qui s'amusait avec mes cheveux ; de ses petits doigts, il tentait de s'approcher de mes yeux bleus.

— Il n'est pas habitué de voir des yeux si clairs, ni des cheveux roux, me précisa Albert. Tu sais, en Chine, les cheveux et les yeux sont assez noirs.

Il dit quelque chose à Miro en mandarin ; celui-ci retira aussitôt son petit doigt sans atteindre mon œil. Il se cacha dans mon cou, penaud.

— Petit cœur. Comme il est doux. Me voilà avec un nouveau bébé dans ma vie. C'est fou, dis-je à mes amis, j'ai l'impression d'être en période d'audition. Raphaëlle m'a fait passer le *screen test* de grand-mère, que j'ai réussi sans trop de mal, même si je trouve le rôle assez essoufflant. Pour la fonction de blonde de Bernardo, là aussi, j'ai fait un essai qui a été concluant, semble-t-il. Surtout les scènes d'amour ! ajoutai-je en riant. J'ai su donner la réplique à Graziella, la fille de Bernardo, avec assez d'aisance ; mais j'ai complètement raté mon audition avec son fils, par contre. J'ai manqué toutes mes lignes, j'ai fait tomber les accessoires, j'ai foutu le bordel dans la scène. Je serais bien étonnée qu'il me rappelle.

Les garçons rirent de l'analogie.

— Tu es l'actrice la plus en demande ces temps-ci, s'exclama François, qui faisait de petites caresses sur les joues de son petit. Et que pour des rôles principaux !

— Je ne sais pas si je vais être capable de cumuler toutes ces fonctions. Ça fait beaucoup de rôles à apprendre par cœur.

— C'est ce que tu sais faire le mieux, non ? murmura affectueusement Albert, avec un petit clin d'œil.

J'étais bien, avec mes deux grands amis que je retrouvais enfin. On en avait vécu de toutes sortes ensemble, et voilà qu'ils renouvelaient leurs vœux d'amitié avec moi pour une période indéterminée.

— Pour une fille célibataire, vivant seule depuis belle lurette, je trouve que tu fais fort. C'est très italien, tout ça ! ajouta Albert, content de la tournure des événements. Je te trouvais tristounette avant que tu partes pour l'Italie. Mais là… on se précipite à ta porte. La petite de Vincent. Bernardo, ses enfants, euh pardon, un de ses enfants, et maintenant le nôtre. Pour celui-là, on t'accorde le premier rôle ; ni essai ni *screen test*, rien de tout ça.

— Tu sais, dis-je à Albert, continuant la comparaison des bouts d'essai et autres, je peux très bien jouer un rôle de soutien avec Miro. Il a déjà deux papas, pourquoi pas plusieurs mamans de différents âges ? Tant qu'à avoir une famille nucléaire, ça lui fera une famille éclatée !

On prit le temps de savourer les boissons fraîches. Miro ne décollait plus de mes genoux, sauf pour sautiller et tendre les bras à la vue des chats qui allaient et venaient sur la terrasse.

J'en profitai pour mettre mes amis au courant des derniers développements au sujet du fils de Bernardo. C'était plutôt froid de ce côté-là.

— Surtout depuis qu'il a dit à son père au téléphone que j'avais mentionné que nous avions l'intention de nous marier. Ce que je n'ai absolument pas fait. Il doit vraiment être encore très triste de la disparition de sa mère pour inventer des trucs pareils. Tu me vois, lançai-je à François, déclarer d'entrée de jeu au fils de mon amoureux que j'allais épouser son père, alors qu'il n'a jamais été question de ça entre nous ?

Je leur fis part de ma position face à cette relation qui me tenait de plus en plus à cœur.

— Je veux prendre mon temps avec cet homme. Je ne veux rien brusquer. J'ai tellement peur que tout échoue ! C'est une situation fragile. Un père veuf, un fils très, très, très attaché à sa défunte mère ! Je me rends compte que la *mamma*, ce n'est pas qu'un mythe, c'est une grosse réalité. Cette relation avec Bernardo, je la veux longue et douce. Avec le moins de heurts possible.

— Ça ne marche pas toujours comme on veut, me dit doucement François, faisant référence à l'arrivée de Miro au pays. On a beau tout préparer, tout prévoir, tout calculer, la vie n'en fait qu'à sa tête et nous fait de méchantes surprises.

— C'est quoi, le proverbe déjà ? tentai-je de me rappeler. Ah oui ! *L'homme fait des plans et Dieu rit !* Il doit se bidonner pas mal ces temps-ci, avec moi et ma maison.

Ils me demandèrent où en était le dossier chez l'avocat.

— Ça patauge, on enchaîne les lettres et les coups de téléphone, j'accumule des dossiers et l'avocat engrange mon argent. Puis d'un jour à l'autre, ça change. Tantôt, l'ancien propriétaire veut régler hors cour, ce qui ferait bien mon bonheur : moins d'énergie et de temps dépensés à cette affaire, et surtout, surtout, beaucoup moins d'argent qui va partir dans les poches des avocats ; puis la minute d'après, le vendeur change d'idée et veut poursuivre tous les gens qui ont été à la base de ce conflit. Il jure qu'il n'y est pour rien, alors qu'il a la réputation de se mêler de tout, de tout contrôler, de tout gérer. Surtout sur sa propriété.

Albert me rappela qu'au moment où j'avais fait l'acquisition de la maison et qu'il m'aidait à contacter les différents corps de métier pour des estimations de travaux que je devais faire exécuter, les ouvriers refusaient de se déplacer; ils trouvaient toutes sortes de raisons: pas le temps, trop occupés, peut-être plus tard.

J'expliquai à François, qui n'avait pas suivi les travaux d'aussi près que son chum, que chaque fois que je demandais si on voulait venir au 50, rue Saint-Paul, on me répondait systématiquement qu'on ne viendrait sûrement pas exécuter des travaux sur cette propriété.

— Puis j'ai changé d'approche, raconta Albert. Je disais que c'était pour Mme Olivia Lamoureux. Ils acceptaient alors de passer et lorsque je donnais l'adresse, ils s'étonnaient presque tous que le « vieux fou » n'habite plus là.

— Albert et moi, continuai-je, on a fini par comprendre ce qui se passait lorsque certains ouvriers se sont ouvert le clapet. Quand l'ancien propriétaire faisait appel à un spécialiste pour un travail sur son terrain – qu'il s'agisse de plomberie, d'électricité ou d'autres domaines –, il avait l'habitude de leur demander de se charger du boulot sur la propriété, mais de le laisser faire lui-même les branchements sur la maison. Les ouvriers des différents corps de métier n'aimaient pas ça, mais c'était à prendre ou à laisser. Le propriétaire pouvait par la suite se plaindre que le travail avait été mal exécuté. Il déclarait donc qu'il ne les paierait pas et que, si ça ne faisait pas leur affaire, il les poursuivrait. Ce qu'il a fait je ne sais pas combien de fois, aux dires du plombier et de l'électricien qui sont venus travailler ici. Ces derniers n'avaient pas de temps à perdre et ils laissaient tomber les factures.

— Tu as parlé de cette situation avec l'avocat? demanda François.

— Oh oui! T'en fais pas, lui répondis-je. Mais je ne crois pas qu'on puisse en tenir compte. Ce sont des on-dit, des rumeurs non fondées, et les spécialistes concernés n'auront sûrement pas le temps de venir à la barre pour me défendre. Ils ont d'autres chats à fouetter.

On commença alors à évoquer toutes les histoires d'horreur qu'on avait entendues sur les vices cachés et sur les entourloupes faites par des propriétaires pour vendre rapidement leur propriété.

L'ami d'un ami ou encore le beau-frère, un parent, un collègue à qui la chose était arrivée. Les drains français inexistants, la moisissure derrière la peinture nouvellement étalée pour camoufler les affreuses taches, les chauves-souris par centaines cachées dans les greniers, les problèmes d'humidité, les fuites d'eau, le béton qui s'effrite, le bois rongé sous les plafonds, la pyrite, et j'en passe. Toutes les joies de l'immobilier qui peuvent amener un acheteur à entamer des poursuites judiciaires.

Au bout d'un moment, je leur demandai d'arrêter. J'avais des palpitations et des sueurs froides à l'évocation de toutes ces atrocités. Mes amis décidèrent de repartir chez eux. Miro devait dormir et Albert ferait de même après avoir défait les bagages. Et leurs deux familles débarqueraient ensuite pour voir la merveille de Chine.

— Maman apporte la fameuse couverture. Ça va être quelque chose. Ils sont tous tellement contents! Un petit-enfant alors qu'ils avaient fait une croix là-dessus.

On s'embrassa chaudement. Je dis au revoir à mon nouveau petit par procuration. Et espérai, en refermant la porte, que personne d'autre ne viendrait se faire adopter dans les jours suivants. « N'en jetez plus, me dis-je, la cour est pleine ! J'en ai plus qu'il ne m'en faut sur les bras. »

36

— Comment ça, c'est fini ? me demanda Lulu au téléphone. Qu'est-ce que tu me chantes là ? Fini ? Terminé ?

— Qu'est-ce que tu veux que je te dise ? Ça ne marchera jamais. C'est trop compliqué. D'un côté, une belle-sœur qui joue les gardiennes de la mémoire et qui vénère la défunte, et de l'autre, un fils qui ment effrontément pour être dans les bonnes grâces de son père. Je n'ai aucune place là-dedans, moi. Je ne peux pas vivre avec le fantôme de la *mamma*, comme une épée de Damoclès en permanence au-dessus de la tête.

— Et Bernardo, lui ?

— Il prend pour son fils, bien entendu. Et je ne peux pas le blâmer. Il a préséance sur moi dans sa vie. Avant, on rencontrait des gars qui voulaient savoir si on vivait encore chez nos parents ; maintenant, la réponse est tout autre : « Non ! Je vis chez mes enfants ! »

Lulu trouva ma réplique fort amusante. On rit un brin, bien que tout cela ne me fasse pas vraiment rire.

— T'as de la peine ?

— Bien sûr, que j'en ai. Je suis convaincue que Bernardo, c'est mon dernier amour. J'aurais voulu finir ma vie avec lui.

— Tout ça à cause d'une maudite cravate !

— La cravate, c'est un prétexte, Lulu. C'est tout le passé encore douloureux, les habitudes à changer, le futur incertain qui font mal. Et contre ça, je ne peux pas grand-chose. Peut-être attendre que ça se calme et voir si ça passe ou si ça casse.

On se tut un instant. Tous les arguments avaient été amenés de part et d'autre, et nous savions toutes deux d'expérience qu'il n'y avait que le temps qui pouvait faire pencher la balance d'un côté ou de l'autre.

Puis j'enchaînai rapidement sur sa dernière aventure, qui avait failli très mal tourner. De cette façon, j'évitais de trop penser à Bernardo.

— Tu te rends compte, dis-je à mon amie, de ce qui aurait pu t'arriver si les gars n'avaient pas été là ?

— Oui, oui, ne t'inquiète pas, me répondit-elle. Je te remercie encore pour ton intervention, mais je me tiens tranquille depuis.

— Toi, tranquille ? À d'autres !

— Oui, oui. Je te jure. Je continue seulement ma longue conversation avec Tuxedo.

— C'est qui, ça ? On dirait le nom d'un chien. Tu n'as pas déjà eu un chien qui s'appelait comme ça ?

— Oui, mais ça n'a rien à voir. Juste un hasard.

— Ah bon ! Et c'est qui, ce...

— Je ne sais pas. Enfin je ne connais pas sa véritable identité. Et c'est parfait comme ça. Mais avec lui, les choses sont claires. Pas question de se rencontrer. Il ne veut même pas voir ma photo. Il veut discuter, c'est tout. Il cherche réellement à me connaître. Il me devine, c'est incroyable. Il est sensible, intentionné. Je donnerais je ne sais pas quoi pour que mon chum ait le quart du sixième de sa fragilité. Chacun de ses messages me touche. Je ris avec lui...

— On peut rire sur Internet ?

— Oui. Il y a des codes. On discute des heures. Il est brillant, je te dis, il me fascine.

— Fais gaffe, Lulu. À quoi tu joues ? T'as vraiment envie de te retrouver avec un nouveau tordu comme le précédent ?

Elle éclata d'un grand rire.

— Je te jure que je ne suis pas en danger. Ni d'être attaquée ni de tomber amoureuse. Il me fait du bien, ce Tuxedo, c'est tout. Je me sens importante, intelligente. Ça me sort de mon ennui. Et puis j'ai été très claire sur le fait que, s'il veut connaître mon identité, essayer de me rencontrer, j'arrête tout échange avec lui. Il a compris.

Elle précisa qu'après ce qu'elle avait vécu l'année précédente, le cancer, la chimio, la peur de mourir, il y avait chez elle comme une envie de vivre qui était plus importante que tout. Non pas de frayer avec le danger, mais de prendre certains risques émotionnels. Ce qu'elle n'avait jamais vraiment fait auparavant. Je pensai à ce que je vivais avec Bernardo. Est-ce que j'étais suffisamment prête à prendre des risques comme ceux dont parlait Lulu ? Le genre qui nous permet d'être légèrement en danger, mais qui nous propulse également vers des certitudes, ou du moins, un peu plus près de soi. Je ne pus m'empêcher tout de même de la mettre en garde.

— Lulu, tu m'énerves. On dirait que tu as quatorze ans.

— Et toi ? Tu as quel âge ?

On se laissa là-dessus, mais je n'étais pas très rassurée. Pas plus qu'elle ne l'était pour moi, je présume. On a tellement peur que nos amis, nos enfants, nos proches souffrent ou se cassent littéralement la gueule, alors que tout un chacun doit aller voir au bout du chemin, traverser la frontière, ouvrir des fenêtres inconnues, faire ses propres expériences. Je ne sais plus qui disait : « Ce n'est pas parce que c'est difficile qu'on n'ose pas, c'est parce qu'on n'ose pas que c'est difficile. »

*

Je dormis peu, une fois de plus. Pourtant, la maison était calme. Pas de pleurs de bébé, pas de visite impromptue ni de coup de téléphone en pleine nuit. J'étais seule dans mon grand lit avec les minous qui ronronnaient, l'un à mes pieds, l'autre sur le traversin au-dessus de ma tête. Mais je gardai les yeux grands ouverts une partie de la nuit. Par les fenêtres me venaient les chants de la nuit, grenouilles en manque d'amour, vent soufflant dans les arbres et ruissellement discret de la fontaine. Je savais que ce n'était pas le moment idéal pour tenter de trouver des solutions à mes problèmes. J'aurais dû en profiter pour dormir. Une dame que j'affectionnais particulièrement et qui possédait un spa fantastique dans les Cantons-de-l'Est me disait souvent que la nuit on ne peut rien régler, qu'il vaut mieux dévisser sa tête et la poser sur sa table de chevet. J'avais bien essayé de faire l'exercice maintes et maintes fois au cours de la nuit, mais le petit animal pensant logé dans mon cerveau n'avait pas arrêté de tourner dans sa roue à une vitesse folle. J'étais, tout comme lui, à la fois fébrile et inquiète. Je jonglais avec tout ce qui m'arrivait. Je songeais à Bernardo, qui n'avait pas téléphoné depuis sa prise de position par rapport à son fils, malgré mon désir qui grandissait d'heure en heure. Parfois, j'avais le sentiment de tourner en rond tellement je pensais à lui. À son regard et à ses mains sur moi, à son rire dans mon cou, à cette façon unique qu'il avait de peler un fruit, de le manger par petites tranches tout en tenant son couteau dans sa main. À sa façon de m'embrasser, de glisser ses doigts sur mes joues et son sexe en moi.

Après ces rêves éveillés, je me retrouvais en nage. Amalgame de chaleurs de « minipause » – parce que ce n'était pas fini, cette affaire-là – et d'émois amoureux – parce que ça ne faisait que commencer. Et puis, presque chaque nuit venait se mélanger à tout cela le souvenir des appels incessants de l'avocat, qui m'incitait à régler hors cour pour limiter les dégâts. Les sommes proposées par « Sa Seigneurie » et demandées à l'ancien propriétaire étaient nettement moindres que les montants exigés par l'entrepreneur pour effectuer les travaux d'installation d'une fosse septique. J'avais renoncé depuis belle lurette à me brancher aux égouts de la ville. Puisque la propriété se situait sur un terrain inférieur au niveau de la rue, il m'en aurait coûté au moins quarante mille dollars. Beaucoup trop pour mon maigre portefeuille, mais l'avocat m'assurait qu'on n'arriverait jamais à obtenir une pareille somme de la partie adverse.

Ce dernier m'avait encore appelée trois fois dans la journée et avait exigé d'autres documents que je devais lui faire parvenir rapidement. Il me demandait de lui téléphoner de toute urgence pour discuter de certains points en litige. J'avais pris en note sa requête détaillée, mais je n'avais pas rappelé. Trop fatiguée, trop inquiète, trop triste que la maison jaune, qui avait été un rêve fabuleux, me fasse de telles misères et me plonge dans les affres de l'angoisse perpétuelle. Je ne savais tellement pas vers quoi je m'en allais. Et si le propriétaire refusait mon offre hors cour ? Pire : et si je perdais en cour ? Et si je n'avais même plus assez d'argent pour payer l'avocat ? Et si…

Il n'était que quatre heures du matin lorsque je me levai. Le jour était encore loin. La nuit était silencieuse et calme. Les minous ouvrirent à peine l'œil, pour le refermer aussitôt et s'étirer avec volupté avant de se lover à nouveau. Comme j'enviais leur bonheur et leur insouciance à cet instant. J'aurais donné beaucoup pour être, moi aussi, une petite boule poilue qui regarderait les mouches et les papillons voler ; qui laperait un peu de lait, mangerait quelques croquettes quand la faim se ferait sentir, dormirait tantôt au soleil, tantôt à l'ombre et à tous moments tomberait à la renverse en offrant mon ventre chaud aux caresses de ma maîtresse. Et dire que les chats ont neuf vies ! Il n'y a pas de justice. Je descendis à mon bureau et j'en profitai pour avancer le travail. Au moins ça de gagné sur l'angoisse. Faire entrer un peu d'argent ne ferait pas de tort à mon compte en banque. J'avais accepté toutes les propositions de projets de correction des éditeurs qui avaient répondu à mon appel de détresse : j'avais besoin de travail. Il fallait absolument que je gagne des sous.

Au bout d'une heure, les lueurs du soleil se pointèrent en même temps que deux grands chevreuils, qui avaient l'habitude de visiter ma propriété – en fait, surtout mes platebandes de fleurs –, s'avançaient d'un pas léger vers le comptoir de bombance qui leur était offert. Ils levèrent la tête nonchalamment avant de poursuivre leur festin, indifférents à mes insomnies.

La sonnerie de l'arrivée d'un courriel attira mon attention vers l'ordinateur. Thomas, le chum d'Henri, m'envoyait un long message que je parcourus rapidement et que je dus relire à trois reprises afin de tout comprendre. Henri était gravement malade. Les résultats de la série de tests qu'il venait de passer n'avaient rien de rassurant. Bien au contraire. Henri avait déjà été hospitalisé et était en attente d'une opération majeure. Il était question de problèmes cardiaques, en somme. Thomas n'en savait pas davantage. Il précisa que je ne pourrais pas joindre Henri avant qu'il ne soit sorti des soins intensifs et qu'il m'écrirait de nouveau pour me mettre au courant des développements.

Henri malade ! Dans mon livre à moi, c'était inimaginable. Ce joyeux drille, bon vivant, aimant faire des découvertes de toutes sortes, autant gastronomiques qu'intellectuelles, sportives ou humaines, ne pouvait pas être affligé d'un cœur défaillant. Lui qui aimait tant la vie et les gens, qui aimait son métier de créateur par-dessus tout, allait peut-être se retrouver avec un cœur qui battrait de l'aile au moindre soubresaut de la vie ?

Le mien se mit à cogner très fort dans ma poitrine. J'eus tout à coup terriblement peur de le perdre ; tout comme j'avais été effrayée de ne plus avoir mon amie Lulu dans ma vie, l'année précédente, à la suite de l'annonce de son cancer du sein. Je refusais de croire à ce qui arrivait à Henri. Je voulais de tout mon être que cet accident cardiaque ne soit pas arrivé ; que toute cette histoire soit une bonne blague dont on rirait encore avec les copains dans un prochain souper. Mais la réalité était là. Dure, angoissante au possible. L'annonce des malheurs qui peuvent survenir dans la vie de nos amis est une chose difficile à avaler. Jadis, en regardant la page nécrologique de mon quotidien, j'avais le sentiment qu'on n'y mentionnait que la mort de vieilles personnes que je ne connaissais ni d'Ève ni d'Adam. Mais, le temps aidant, s'y trouvait désormais trop souvent la photo de personnes du même groupe d'âge que moi. Et certaines d'entre elles, je les reconnaissais. Accidents cardiovasculaires, cancers de toutes sortes, arrêts cardiaques ; sans compter les accidents de la route. Comme le disaient désormais mes amis, « on en a plus de fait qu'il ne nous en reste à faire ».

Henri, mon bel Henri. J'allumai aussitôt une bougie. Une bonne pensée pour lui. Un peu de lumière au bout de son tunnel, dont il sortirait vivant, je l'espérais de tout cœur.

Je fis ma toilette, déjeunai sans appétit et continuai le travail de correction. Puis, je m'attaquai à la série de coups de fil que je devais passer, tout en gardant un œil sur ma messagerie courriel.

L'avocat m'accueillit avec un grand sourire dans la voix.

— Madame Lamoureux. Comment allez-vous ?

— J'irais beaucoup mieux si tout ça était derrière moi, lui dis-je.

Il me répondit, laconique, que les choses avançaient à un rythme normal, que ça prenait toujours beaucoup de temps à régler, ces dossiers-là, mais que si la partie adverse pouvait se brancher sur l'orientation qu'elle désirait prendre dans le dossier, soit d'aller en cour, soit de faire une entente hors cour, ça accélérerait le processus. Je l'écoutais d'une oreille distraite. Il m'avait déjà dit tout ça lors de notre dernier entretien. Pendant qu'il parlait du client, de l'autre avocat, des papiers qu'il restait à consulter, des expertises qu'il faudrait faire sur le terrain, je consultai les questions posées par l'avocat dans son précédent message, auxquelles il avait demandé mon approbation ou mon désaccord. J'avais inscrit les réponses à ses interrogations pour ne pas perdre de temps. J'enfilai donc la liste des précisions, éclaircissements et renseignements dont il avait besoin pour faire avancer les démarches. Au bout de cinq minutes, il m'arrêta subitement.

— Madame Lamoureux, vous êtes pressée ? Je peux vous rappeler, si vous avez un autre rendez-vous.

— Non, lui répondis-je du même souffle.

— Vous parlez drôlement vite, m'expliqua-t-il. Vous semblez tout le temps à la course.

— Je parle très vite, maître, parce que vous coûtez très cher.

— …

J'entendis un grand silence dans le combiné, puis un au revoir poli.

37

Les semaines qui suivirent furent les plus insensées de ma vie. Bien sûr, tout était arrivé en même temps. Je passais, en l'espace de quelques heures, de l'enchantement le plus délicieux à la pire catastrophe qui puisse survenir. J'étais fourbue, essoufflée, je ne parvenais plus à rien contrôler. Je naviguais du rire aux larmes, de l'excitation la plus pure au découragement le plus profond.

Tout avait commencé par un courriel de Thomas, m'annonçant que l'opération d'Henri s'était bien passée. Il ne s'en sortait pas trop mal, compte tenu qu'il avait eu une opération à cœur ouvert. Plusieurs jours aux soins intensifs, où l'on réduisait les visites à la famille, et ensuite une longue convalescence ; un changement radical de vie devait aussi être envisagé. Plus de sport, terminé la malbouffe, les cigarettes, l'alcool à profusion, bien qu'Henri ne soit pas du genre à abuser de ce genre de plaisirs. Son moral était assez bon, malgré le choc. Il tenait le coup. Il était surtout heureux d'être encore de ce monde. Il nous avait fait une belle frousse. Si jeune et déjà en danger que sa vie s'arrête là. Pile. Terminée, la course, tout le monde descend. « Au-delà de cette limite, votre ticket n'est plus valable. » J'y pensais sans arrêt et je rallumais la bougie, qui perdait de la vigueur. J'invoquais quand même le peu de saints que je connaissais dans le paradis, auquel je ne croyais pas vraiment. Mais j'appelais de toutes mes forces de l'aide venue d'ailleurs. « S'il vous plaît, ne m'enlevez pas déjà mon Henri. Pas tout de suite. On ne s'est pas tout dit, on n'a pas tout fait, on n'en a pas terminé avec les fous rires et les tendresses. Il nous reste quelques sushis à découvrir, quelques livres de décoration à feuilleter, quelques tableaux à admirer, quelques marches à faire sur le bord de l'eau. Et tant de discussions inachevées sur le sens de la vie, sur la beauté de l'univers, sur la douceur de vivre, sur la lumière du jour, sur la bonté des gens… »

Je ne saurai jamais qui m'a écoutée, ni qui a exaucé ma prière. Henri était toujours en vie. Fragile, mais en vie.

Je multipliais les voyages à Montréal pour rencontrer l'avocat.

J'en profitais pour aller faire des coucous à Henri et pour voir un peu mon amie Lulu. Elle s'était tout à fait remise de sa dernière rencontre avec cet internaute, où les copains et moi l'avions sortie d'un mauvais pas, et me disait avoir compris comment ça se passait.

— Beaucoup de mecs te font la cour mine de rien, déploient le tapis rouge, en mettent plus que le client en demande et, au bout du compte, lorsqu'ils se dévoilent au grand jour, tu découvres que tout ce qui les intéressait, c'est de tirer un coup vite fait bien fait. Ils sont mariés et veulent un petit extra. Ou alors, ils ont une vie tellement ennuyante qu'on ne veut pas connaître ça.

Elle n'avait gardé de cette aventure virtuelle qu'un contact avec ce Tuxedo. Quelqu'un de bien avec qui elle riait beaucoup. Il ne voulait toujours pas voir sa photo, ni lui donner la sienne, et il n'était jamais question d'une éventuelle rencontre.

— On s'écrit dix fois par jour. Il semble ne désirer qu'une chose : me connaître en discutant de tout avec moi.

— Comme quoi ? demandai-je, encore un peu inquiète pour mon amie, qui cherchait une présence, une écoute.

— Ça va du sens de la vie à mes lectures, en passant par les voyages qui m'intéressent ou nos recettes préférées. C'est en tout bien tout honneur. Et c'est ça qui est troublant.

Elle en tirait beaucoup de plaisir. C'était l'échange le plus sain qu'elle avait eu jusqu'alors. Un véritable ami. Je la quittai plus rassurée.

Du côté du litige pour ma propriété, les choses se précipitaient également. Pour se sortir du procès, qui s'avérait inévitable, on avait fait une offre d'arrangement, hors cour, à l'ancien propriétaire. Offre substantielle qu'il s'était empressé de refuser. Je soupçonnais cet homme de faire de ces causes son pain quotidien, son sport national, sa raison d'exister. Il semblait n'avoir que ça à faire. Le procès fut donc fixé à sept jours plus tard. L'avocat ne me donnait pas beaucoup d'espoir. Lui aussi, les procès, c'était son activité préférée. Pas moi ! J'étais morte de trouille. Malgré les encouragements de Massimo et son sens de l'humour, malgré ceux de François et d'Albert. Ce dernier, d'ailleurs, était assigné comme témoin. Comme il avait agi à titre d'entrepreneur général pour surveiller les rénovations, tandis que je travaillais encore à Montréal et que mon déménagement n'était pas chose faite, il allait être un témoin clé dans ce procès. L'avocat n'arrêtait pas de me répéter que ma cause ne serait pas facile à plaider. À titre d'exemple, il me serinait sans cesse qu'un vice caché, c'est difficile à prouver. Il était convaincu que la partie adverse allait essayer de prouver le vice apparent et non le vice caché. Ce qui changeait tout. La première anomalie n'impliquait en rien la responsabilité de l'ancien propriétaire, tandis que la seconde le rendait coupable d'une infraction majeure aux yeux de la loi.

— C'est un jeu, martelait-il sans arrêt. On tente de deviner les intentions de l'adversaire, on tâte le terrain, on laisse glisser des informations pour le déstabiliser. Un jeu.

Pour moi, c'était un amusement auquel j'aurais préféré ne pas participer. Je n'en connaissais pas les règles, je n'avais pas d'argent à miser, et je n'étais pas une partenaire de taille. Et surtout, l'enjeu avait son importance : c'est l'avenir de ma maison qui en dépendait. J'étais perdue, affolée de me retrouver en cour. D'avoir à me justifier devant un juge pour une chose dont je n'étais pas responsable. J'avais acheté, en toute bonne foi, cette maison qui réclamait beaucoup de soins et d'attentions. J'avais investi tout l'argent dont je disposais pour maintenir la valeur de cette propriété. Et de surcroît, je l'aimais, cette maison, j'aimais en prendre soin, la rendre la plus confortable, et la plus attrayante possible. Mais là, cette tuile qui s'abattait sur moi et sur elle venait à bout, peu à peu, de mon enthousiasme, de ma combativité et de mon porte-monnaie. J'étais découragée au plus haut point. Et ce jeu de pouvoir qui se jouerait entre deux avocats qui se renverraient la balle, en présence d'un juge, jusqu'à ce que l'un des deux gagne la partie, ne me disait rien qui vaille. Je n'avais pas envie d'être assise dans cette cour à attendre que la décision soit prise à mon détriment. Tout ça parce que l'ancien propriétaire avait été soit négligent, soit avare, ou alors carrément menteur. Cette mésaventure allait me coûter beaucoup d'argent qui n'était pas prévu au budget de départ, beaucoup d'emmerdements, beaucoup de travail pour tout remettre en état et des angoisses qui m'empêcheraient de dormir la nuit. Mon comptable tentait de me rassurer. Le petit coussin que j'avais mis de côté avait suffisamment rapporté pour que je m'en sorte. C'était juste, mais je pouvais y arriver. Surtout si je gagnais le procès.

J'en étais là dans mes réflexions lorsque le téléphone sonna. Même si je n'avais pas très faim, je m'étais préparé une salade de tomates et de basilic avec un bout de pain. Je laissai tout en plan et attrapai le combiné. « Pourvu qu'il ne soit rien arrivé à Henri », songeai-je.

C'était Bernardo. D'abord surprise par son appel, je ne sus pas trop quelle attitude prendre. Il était rieur. Il me demanda tout simplement comment j'allais. Puis me dit qu'il s'ennuyait de moi. Qu'il trouvait difficile d'être loin de moi. Je lui avouai que ce long silence m'avait chagrinée. Que je pensais souvent à lui.

— Que faisais-tu juste avant que j'appelle ? s'enquit-il.

— Un peu de travail. Là, je mangeais une petite salade.

Il voulut savoir de quoi elle était composée. Je le lui dis. Puis il me demanda comment j'étais habillée. Ça me fit rire. Je lui déclarai que j'avais l'air de la chienne à Jacques. Pas peignée, pas maquillée, n'importe quoi sur le dos ; pas à mon mieux, ni très attirante. J'avais l'air d'un vrai pichou. Ce fut à son tour de rire. Comme ce rire était bon à mes oreilles ! J'en frissonnai. Bernardo m'interrogea sur l'origine de cette expression, mais je n'en savais rien. Il me dit, en riant, qu'il était convaincu que je n'étais sûrement pas aussi laide que je le laissais entendre et qu'il aurait follement envie de venir m'embrasser.

— Moi aussi, ta bouche me manque. Tes bras aussi. Où es-tu ? lui demandai-je.

— Je suis avec toi, me murmura-t-il à l'oreille.

Puis on sonna à la porte. Je soupirai.

— Oh non ! C'est qui, ça, encore ? m'exclamai-je, impatiente. Ça sonne, je t'emmène avec moi.

J'ouvris la porte toute grande. Un homme se tenait de dos.

— Excuse-moi, Bernardo, dis-je dans le combiné. Ce ne sera pas long.

Puis je m'adressai à l'homme sur le seuil.

— Qu'est-ce que vous voulez ? demandai-je brusquement, d'une voix agacée.

J'entendis, à la fois dans le combiné et en face de moi, la même réponse :

— Vous embrasser, *bella ragazza* !

Je laissai échapper un cri. C'était lui ! Bernardo se tenait devant moi et avait toujours à la main son cellulaire. Il me souriait et continuait notre conversation commencée plus tôt.

— *Un bacio, per favore,* Olivia. *Un bacio o due, o tre.*

— Ou dix, ou vingt baisers, enchaînai-je avant de sauter dans ses bras.

38

Nous venions de faire l'amour comme des déchaînés. Il m'avait tellement manqué ! Sa peau, son odeur, ses mains. Nous étions assis sur le bord du lit. Je buvais de grandes gorgées d'eau. J'avais si soif d'avoir couru, à perdre haleine, pour rejoindre mon plaisir qui allait dans tous les sens, qui glissait, qui remontait, qui explosait. Bernardo semblait dans le même état que moi. Nous reprenions notre souffle en riant presque. Comme la vie était de nouveau bonne avec lui ! Délicieuse et simple tout à la fois.

Bernardo se leva et marcha dans la pièce sans éprouver aucune gêne de sa nudité. Il fouilla dans son grand sac de voyage et exhiba une minuscule fiole dont le contenu était joliment ambré. Mon amant la regarda à contre-jour pour admirer sa luminosité avant de me la présenter.

— C'est pour remplacer celle qui a causé un drame ? lui demandai-je, encore honteuse de l'incident que j'avais provoqué en laissant tomber une partie du cadeau destiné à ses enfants, lorsque je m'étais présentée chez eux.

— Non. Celle-là, elle est pour toi. Belle, délicieuse, rare et précieuse, comme toi.

Et il me tendit la petite bouteille. Il me fit signe d'enlever le bouchon pour humer son arôme. Ce que je fis le plus délicatement du monde.

— Goûte, maintenant. Tu n'en croiras pas tes papilles. Elle est tellement parfumée, tellement délicate.

— Elle vient de chez toi ?

Il n'était pas peu fier de m'expliquer la procédure d'extraction, la température à laquelle elle avait été conservée, le temps qu'il avait fallu pour qu'elle atteigne cette maturité et ce goût.

J'en versai une larme sur mon doigt, que j'amenai aussitôt à ma bouche. Puis je refis l'exercice tant la saveur était particulière. Je n'avais jamais rien dégusté de si bon. Dans mon empressement, j'en laissai échapper une gouttelette qui glissa sur mon menton et tomba sur ma poitrine. En riant, j'utilisai ma main libre pour essuyer l'huile qui coulait vers la pointe de mon sein. Bernardo arrêta aussitôt mon geste. Il se pencha plutôt vers moi et recueillit avec sa langue la perle d'huile qui continuait sa descente. Il m'enleva la fiole des mains, la déposa sur la table de chevet. Doucement, il m'allongea sur le lit, reprit la fiole dans sa main et commença à verser sur mon ventre le liquide doré. Je protestais en riant. Il continua, têtu.

Il alla boire sur ma peau chaque goutte versée. Il en laissa tomber au creux de mes reins et de mes aisselles, quelques gouttes dans mon nombril, sur mes cuisses ; Bernardo y recueillait l'huile d'olive à grandes lampées et la dégustait lentement. L'instant d'après, il testait une autre partie de mon corps, au cas, comme il disait, où l'huile se serait comportée différemment au contact de ma peau. J'étais entièrement enduite du précieux liquide. Mes cheveux en étaient imbibés, il y en avait dans mes oreilles, sur mon sexe, et mon amant était dans le même état que moi, puisqu'on se roulait entre les draps et que je dégustais, moi aussi, chaque parcelle de son corps. Ce délicieux manège dura très longtemps. On avait déjà entamé le quart de la bouteille lorsque je lui suggérai d'en garder un peu aussi pour la salade, les tomates au basilic et le pain frotté à l'ail.

— Ou pour une deuxième dégustation, me répondit-il, gourmand. On pourrait se faire revenir dans l'huile !

Puis, je me rendis compte de l'état des draps, qui avaient absorbé une partie du liquide. De grandes taches, qui ne partiraient sûrement pas au lavage, s'étalaient un peu partout sur le coton. Les taies d'oreiller n'avaient pas été épargnées, elles non plus. Bernardo se souleva sur un coude pour constater les dégâts et s'en excusa en riant.

— Oh ! On est dans de beaux draps ! s'exclama-t-il.

— Y a pas de quoi en faire tout un plat, répliquai-je aussitôt.

Nous éclatâmes d'un grand fou rire.

— Je vais être quitte pour acheter de nouveaux draps et une nouvelle cravate.

— Ne t'en fais pas pour ça. Il est buté, mon fils, mais c'est un bon garçon. Il aura oublié le jour de son mariage.

Je n'osai demander ce qui se passerait si cette union annoncée n'arrivait pas de sitôt. Bernardo était venu avec le drapeau blanc, je n'allais pas relancer la guerre. Ce genre de *statu quo* me plaisait bien. Je continuai à rire avec lui. À cet instant précis, je l'aimais pour sa folie, pour son audace et pour l'envie qu'il avait de moi.

Nous restâmes encore un moment à macérer dans l'huile. En pouffant de rire à l'occasion. Morte de fatigue, je tombai finalement endormie dans ses bras. Nous eûmes le temps de prendre une douche avant l'arrivée d'Henri, qui venait passer quelques jours avec moi. Histoire de se faire gâter un moment, puisque son chum travaillait d'arrache-pied et ne pouvait assurer ses besoins quotidiens. J'allais pouvoir, pour un certain temps du moins, l'assister un peu. Comme Henri ne pouvait pas conduire avant quelques semaines,

Massimo s'était offert pour l'amener à la campagne. Ce dernier était ravi de retrouver son voisin toscan. Nous préparâmes un petit repas léger, en omettant l'huile d'olive dans la préparation des plats. J'étais saturée, comme je le précisai à Bernardo, qui éclata d'un formidable rire au souvenir de notre après-midi « extra raffiné ». Henri et Massimo tentèrent tout pour savoir ce qui nous rendait si heureux. Je remerciai tout bas mon bel amant d'avoir gardé le secret sur nos ébats agrémentés d'un ingrédient spécial. Nous mangeâmes dans la joie. Risotto aux champignons, salade relevée de citron, quelques fruits de saison et des vins italiens fournis par Bernardo. Légumes vapeur, poulet froid et de l'eau pour Henri. Mais, comme il le dit lui-même, nouvelle vie, nouveau régime !

Bernardo devait repartir le soir même pour Montréal, où l'attendaient ses enfants et pas mal de travail. Il avait décidé d'écourter son séjour en Italie pour être avec moi le plus souvent possible et du même coup assurer une présence soutenue auprès de son fils, qui avait besoin de lui. J'étais vraiment touchée. Chacune de ses attentions me faisait monter les larmes aux yeux. J'évitai, par contre, de lui montrer chaque fois mon émoi : une fille qui pleure, même si c'est de joie, tombe facilement sur les nerfs d'un homme. Puis, je me rendis compte que Bernardo était tout aussi troublé que moi. Et même davantage, si la chose était possible. J'étais ravie, j'aimais un grand sensible, nous étions de la même trempe, de la même fibre. Les difficultés n'étaient pas toutes abolies, loin de là, et les changements de température n'étaient pas nécessairement exempts de variations, mais qu'à cela ne tienne, ce que je venais de vivre avec cet homme compensait amplement tous les tracas à venir. J'avais pris la décision de plonger avec lui, s'il le voulait toujours.

Nous nous séparâmes avec difficulté. Près de la porte d'entrée, nous ne cessions de nous embrasser. Il ne voulait pas partir, je voulais qu'il reste, ce fut Massimo qui trancha pour nous. Il s'amena dans le vestibule et nous regarda, complètement découragé, en secouant la tête de gauche à droite et en jouant les traumatisés.

— Ah ! Ça va, vous deux ! On entend vos ébats jusque dans le salon. Vous ne pouvez pas vous retenir un peu ? Henri est sur le point de faire un nouvel arrêt cardiaque, et moi, je n'en finis plus de déchiqueter le tissu des divans. C'est pas humain ! Pensez un peu aux amis.

Et il retourna d'où il venait après avoir pris une nouvelle bouteille de vin dans le frigo. Je quittai les bras de Bernardo et le laissai partir à regret. Je regardai son dos dans la pénombre pendant qu'il se dirigeait vers sa voiture ; il me manquait déjà.

39

Nous restâmes tard dans la soirée à discuter, à refaire le monde comme à notre habitude. Nous avions installé Henri sur le divan du salon. Quelques coussins pour son dos et une couverture légère sur ses jambes. Maxou et Rosie l'entouraient et lui prodiguaient des douceurs. Petits coups de langue sur la main, becs sur le nez et ronrons dans le cou. Ils en prenaient soin autant que Massimo et moi. Ce dernier remplissait mon verre aussitôt que le niveau baissait. À un moment, je dus modérer ses ardeurs.

— Ça va. J'ai suffisamment donné dans les excès aujourd'hui.

— La soûlée d'extase ! La comblée d'amour ! C'est indécent, tout ça, répliqua Massimo en camouflant son sourire.

— Laisse-la donc tranquille, intervint Henri. Pour une fois qu'elle est heureuse ! Tu ne te rappelles pas la dernière fois qu'il a fallu la ramasser à la petite cuillère ? Je la préfère indécente de bonheur qu'inondée de chagrin.

Nous laissions la nuit se la couler douce et nous envelopper de sa quiétude. Un grand calme s'emparait de moi.

— Inquiète pour le procès ? me demanda Massimo.

Je hochai la tête, dubitative. Je n'étais plus sûre de rien.

— Dans les deux cas, j'ai un gros problème. Si je gagne, j'ai l'argent pour payer les travaux pour la nouvelle fosse septique. Mais je n'ai sûrement pas assez pour payer l'avocat et finir les travaux de la maison. Et si je perds le procès... eh bien ! Je perds tout.

— Il n'y a pas d'autres solutions ? s'enquit Henri.

— Oui, il y a d'autres solutions, répondit Massimo à ma place. Je peux lui passer un peu d'argent. Bernardo aussi est prêt à l'aider, mais elle ne veut rien savoir de notre soutien financier. Notre argent n'est pas assez bien pour Mme Lamoureux.

— Massimo, tu le sais que ça n'a rien à voir. Vous ne pouvez pas comprendre, les gars. Les hommes, c'est bien connu, ont toujours été des pourvoyeurs. Vous avez toujours été indépendants financièrement. C'est important pour moi de l'être aussi. J'ai besoin de me regarder dans la glace le matin et de savoir que je ne dépends de personne. Bernardo, je veux l'aimer sans qu'il subvienne à mes besoins. C'est l'homme, que j'aime, pas son compte en banque. Il ne pourra jamais me reprocher qu'il a tout fait pour moi et que je ne suis pas assez reconnaissante. Je ne lui permettrai pas d'avoir ce pouvoir sur moi. Je ne l'ai jamais permis à personne, je ne commencerai pas aujourd'hui. Tout comme je refuse d'avoir la mainmise sur lui. Il est indépendant, moi aussi je veux l'être. Comme ça, je ne le tiendrai pas pour acquis et je veux qu'il fasse la même chose avec moi.

— Sujet clos, conclut ironiquement Massimo. Toi, mon bel Henri, si un gars voulait t'entretenir, tu n'aurais rien contre ?

— La question ne se pose pas de la même manière, je crois.

— Moi, j'ai toujours rêvé qu'un mec se jette à mes pieds et veuille bien combler tous mes désirs sans que ça me coûte une cenne, déclara Massimo. Mais c'est pas comme ça que ça marche. C'est toujours les mêmes qui ont toutte... ajouta-t-il avec emphase, en regardant dans ma direction. Sur cette grande déclaration, je vais me coucher, seul comme un coton de blé d'Inde ratatiné, dit-il après s'être levé d'un bond.

Il me donna un baiser sur le front et me fit un clin d'œil avant d'aller vers Henri.

— T'es sûr que tu ne voudrais pas m'entretenir ?

Il lui conseilla finalement d'oublier ça.

— Avec ton petit cœur fragile, tu ne pourrais pas supporter mon grand amour. Couchez-vous pas trop tard, les p'tits jeunes.

Je restai seule avec Henri, qui ne semblait pas vouloir dormir.

— Pas trop fatigué ?

— Tu veux rire ! Je ne fais que ça, dormir. Je passe plus de temps au lit que debout.

— Tu m'as dit que tu me raconterais... soufflai-je.

— Te raconter quoi ? Comment j'ai eu la trouille de ma vie ? Comment j'ai failli claquer ? Comment je me remets à peine du choc d'être encore vivant ?

— Oui, dis-je doucement. Tout ça.

Et il me raconta. La surprise de perdre tant de poids en si peu de temps. La crainte de ne pas savoir ce qui se passait réellement. Puis l'angoisse après le résultat des tests. « Monsieur, vous avez une maladie rare. Vos artères se bouchent, non pas à cause d'une santé déficiente, d'un taux de cholestérol trop élevé, de mauvaises habitudes de vie, du fait que vous fumez et que vous ne faites pas assez d'exercice et que vous mangez trop de malbouffe. Rien de tout ça. Les parois de vos artères se déforment et se dilatent de l'intérieur. Le cholestérol s'attache aux excroissances qui se sont formées sur les surfaces et empêche le sang de bien circuler. Jeune, vous avez eu de fortes fièvres, n'est-ce pas, et personne ne savait de quoi il s'agissait ? Ce qui vous arrive aujourd'hui ressemble beaucoup au syndrome de Kawasaki.»

— Ça n'a rien à voir avec les motos du même nom. C'est beaucoup moins amusant, me précisa Henri. Il s'agit d'une maladie infectieuse se traduisant par une inflammation des artères.

«Mais après l'opération, il faudra quand même surveiller votre cholestérol trop élevé, changer vos habitudes de vie, arrêter de fumer, faire plus d'exercice et dire adieu à la malbouffe.»

— Quand le médecin m'a annoncé ça, j'ai eu l'impression que le plancher s'ouvrait sous mes pieds. Te dire comment j'ai eu la chienne, Olivia. J'étais sûr que c'était fini, que je ne me réveillerais pas et que je me retrouverais aussitôt dans les pages nécrologiques. Je pense que c'est plus difficile pour les autres, qui se sentent impuissants. Moi je me retrouvais, en quelque sorte, dans l'action. Tu te répètes qu'il faut que tu t'en sortes, que tu te dépasses pour y arriver. Écoute, cinq jours après l'opération, je marchais dans les corridors. À ma première promenade de santé, une fois sorti, j'ai cru que je rendrais l'âme tellement j'étais essoufflé.

Je caressai tendrement sa belle tête.

— Maintenant, comment tu te sens?

— En sursis. Comme ça peut revenir n'importe quand, cette saloperie-là, je veux en profiter au maximum.

Il se tut un instant, puis me demanda si je savais après quoi on courait tant, toute notre vie.

— Je ne sais pas, répondis-je. Après le bonheur? Après l'amour? Après l'argent?

— Le bonheur est là, pour toi, l'amour aussi, semble-t-il, alors pourquoi tu cours encore?

Je tentai de lui expliquer que, l'argent, j'en avais vraiment besoin pour les travaux indispensables, dont les fenêtres qu'il fallait remplacer impérativement.

— Il y en a vingt-neuf, tu te rends compte? Puis bien sûr, cette maison ne donne pas dans le petit format. Il faut aussi changer le revêtement extérieur. Celui qui est en place se dégrade à vue d'œil. Il y a également l'escalier qui mène à la piscine. Les pierres s'effritent à chaque hiver. Ça, c'est sans compter la dalle du garage qu'il faudrait refaire.

— Une maison, ça ne s'arrête donc jamais?

— J'ai bien peur que non. C'est sans fin, il paraît.

— On est un peu fous, je pense. Complètement malades, en fait. Incapables de s'arrêter. Toujours plus, toujours plus gros, toujours plus impressionnant! De quoi est-ce qu'on a besoin, en fait? De l'amour, de la tendresse, un peu d'humour, du bon vin, de la bouffe savoureuse. Des amis, un travail qui nous passionne. Le reste, c'est du surplus. C'est du vent. C'est notre besoin de remplir le vide avec des objets, de la musique, des cris, des rires qui nous empêche d'être bien. De profiter au maximum de ce qu'on a. C'est fragile, la vie, Olivia. Je le sais pour avoir failli la perdre. Vis ce que tu as à vivre. Intensément. Tout le reste, c'est du matériel. Ou alors, ce sont des difficultés faciles à régler. Je pense qu'il ne faudrait pas qu'on meure avec des tonnes de regrets. En fermant l'œil pour de bon, on devrait n'avoir qu'à se dire: «Hein! C'est déjà fini?»

On resta quelques instants dans le silence de la nuit, qui prenait maintenant toute la place. Les minous s'étaient endormis près d'Henri, et bientôt ce dernier en fit autant. Il pencha sa tête sur le côté et son souffle devint de plus en plus lent. Je remontai la couverture sur lui. Il avait décidé de dormir sur le grand divan du salon. Pas de marches à monter. À proximité de la cuisine et d'une salle de bain. La télévision et l'ordinateur à portée de main pour les plages d'insomnie qui ne manqueraient pas de surgir lorsque l'angoisse referait surface. De cette façon, il ne réveillerait personne à l'étage et se reposerait davantage. J'éteignis les lampes et n'en voulus pas à mes chats de ne pas monter dormir avec moi. Ils avaient quelqu'un sur qui veiller. Quelqu'un qui n'avait pas neuf vies comme eux, seulement une deuxième chance.

40

Tout le temps qu'Henri logea à la maison, nous discutions matin et soir. Il me faisait un bien fou avec ses réflexions, et lui prenait un peu de couleurs. Tantôt il restait allongé sur la terrasse, lisait ou dormait carrément, tantôt nous allions marcher dans le petit boisé. On prenait du bon temps. J'avais également changé mes habitudes alimentaires. Ce qui me fit le plus grand bien. Plus aucun régime de fous, mais plutôt des repas sains, légers et super bons. J'allais au marché plus souvent, n'achetais que du frais et fouillais dans mes livres de recettes à la recherche de plats plus attrayants les uns que les autres. J'avais envie qu'Henri se sente mieux. Et c'est ce qui arrivait pour lui comme pour moi. J'en profitais pour l'aider avec ses exercices physiques. On s'entraînait ensemble. Je respirais mieux, me sentais plus souple et plus agile. Entre les visites de mon bel amoureux, un peu de travail au quotidien, la vie coulait douce à la maison jaune et me faisait oublier le procès inévitable.

— Bernardo est vraiment un homme bien pour toi, me confiait souvent Henri. Fais attention à lui, comme il fait attention à toi. Et garde-le longtemps, celui-là.

— C'est drôle, lui dis-je à l'une de ces occasions, comme on le sent tout de suite que c'est la personne qu'il nous faut. Tout est simple. Bon ! Il y a bien quelques complications...

— Comment ça se passe avec le fils ?

— Il est égal à lui-même. Je peux même pas lui parler. Chaque fois que Bernardo trouve le moyen de nous réunir, tous les prétextes sont bons pour qu'il ne vienne pas. Mais il jacasse dans mon dos. Il tente encore d'amener Bernardo à me laisser. Beaucoup de chantage affectif de ce côté-là. Il va peut-être réussir, mais au moins j'aurai tout essayé.

— Brave petite soldate, lança Henri. Tiens ton bout. Tu l'aimes, Bernardo ? Alors, fonce !

Je repris notre conversation sur les relations qui se créent d'elles-mêmes.

— Bernardo, ça n'a rien à voir avec mes scénarios habituels, lui expliquai-je. Tu sais, lorsqu'il y a un truc qui cloche, qui nous dérange vraiment, mais qu'on repousse du revers de la main, ou carrément sous le tapis pour le faire disparaître, pour lui enlever de son importance en se disant que ce n'est qu'un détail, que ce trait de caractère va s'atténuer avec le temps, que ce n'est pas si grave que ça, dans le fond, qu'on va s'habituer à cette chose qui nous déplaît ou qui nous tombe carrément sur les nerfs ? J'ai fait ça tellement de fois en me faisant croire que ça passerait.

— On fait tous ça, ma biche. On veut tellement que ça marche qu'on est prêt à tout accepter pour être aimé. Mais la poussière qu'on a tassée sous le tapis finit par réapparaître un jour ou l'autre, et on devient allergique à ce petit défaut qui a pris de l'ampleur et qui est en train de nous étouffer.

— C'est comme si, avec Bernardo, les choses sont mises sur la table. Je sais à quoi m'attendre. Il est franc, ne joue pas de *game*. Et c'est la première fois que je suis capable de me questionner chaque fois que quelque chose qui me dérange fait surface. Je me demande :

qu'est-ce que je dois faire avec ça ? Passer par-dessus ou l'accepter carrément en sachant que je vais devoir vivre avec ce petit quelque chose qui me dérange, mais qui fait également partie de lui ? Je pense qu'il agit de la même façon avec moi.

— Ça doit être ça, l'amour consenti. Prendre le risque d'aimer quelqu'un d'imparfait, mais de fascinant. Est-ce que ce qu'il t'apporte pèse plus dans la balance que ce qui t'énerve ?

Nous étions toujours sur la terrasse lorsque nous vîmes apparaître un homme très grand et corpulent. Il semblait timide et tenait une boîte en bois à la main. Il s'adressa à nous en anglais et nous expliqua, gestes à l'appui, quelque chose qui avait rapport avec la maison du voisin. Je me levai, allai à sa rencontre, mais je n'arrivais à saisir que des bribes de ce qu'il tentait de nous dire. Il était question de son père qui avait habité dans la maison du voisin et l'homme était allé y déposer quelque chose, bien que le voisin n'y soit pas. Mais déposé quoi ? Une hache ? Pourquoi une hache ? C'était un émondeur ? Je ne comprenais rien à rien. J'appelai donc Henri à la rescousse, puisqu'il parlait et comprenait l'anglais mieux que moi.

Ce dernier me traduisit les propos de l'homme à mesure. L'homme parla longtemps de son père, qu'il venait de perdre. Il avait fait un certain parcours des lieux, des maisons, des jardins où celui-ci avait été heureux. Et là, il terminait son périple aux souvenirs chez mon voisin.

— Et qu'est-ce qu'il est venu déposer au juste ? demandai-je à Henri, en marmonnant entre mes dents.

Mon ami me murmura à l'oreille qu'il me le dirait quand l'homme serait parti. Nous sommes restés plusieurs minutes à l'écouter nous raconter le parcours de son père, qui semblait beaucoup lui manquer.

Il partit finalement, à regret, je crois, en emportant avec lui sa petite boîte de bois sous le bras.

Nous avons retrouvé nos grandes chaises sur la terrasse et à ce moment seulement Henri me mit au parfum de ce qui venait de se passer.

— Tu connais bien ton voisin ? me questionna-t-il.

— Ouuui… dis-je. Il est parfois grognon et n'aime pas qu'on pénètre sur sa propriété si on n'y est pas invité. Pourquoi ?

— Parce que l'étrange monsieur vient de répandre une partie des cendres de son père sur son terrain.

On se regarda, aussi étonnés l'un que l'autre, hésitant entre l'envie de rire aux éclats et celle d'être touchés au possible.

— Il a vraiment jeté des cendres chez le voisin ?

Henri acquiesça, puis précisa :

— Pas beaucoup, je crois, parce que, comme il l'a dit, il a fait ça dans des endroits où son père a été particulièrement heureux. Je trouve ça touchant. C'est une belle attention.

— C'est le voisin qui va être content. Lui qui ne tolère pas la moindre poussière sur sa propriété.

Nos regards se croisèrent à cet instant et le fou rire nous prit par surprise. Nous avons ri aux larmes. Et entre chaque secousse, nous essayions d'imaginer où notre famille répandrait nos cendres après notre mort. On riait tellement, même si ce n'était pas si drôle en fait, qu'Henri demanda grâce à un moment donné. Il me supplia d'arrêter ; il avait la sensation que son cœur allait lâcher.

Certains après-midi, nous sortions tous les livres et toutes les revues de décoration que je possédais. Et il y en avait.

On échangeait des trucs de maison, d'aménagement, de décoration. De l'engouement que nous avions pour nos lieux de vie. Henri dessinait souvent après le repas du midi. Il avait toujours avec lui sa fameuse tablette et de quoi ébaucher des plans d'aménagement. Il imaginait une rallonge à sa maison, en dessinait une pour la mienne également. On rêvait de demeures impossibles sur papier glacé, choisissant, à tour de rôle, une maison de ville, une pour la campagne, une autre qui servirait uniquement pour nos amis, ou comme atelier.

— C'est fou, cette fascination qu'on a pour les maisons, tu ne trouves pas ? demandai-je à Henri.

— On est un peu fous, effectivement. Ça doit venir de notre enfance.

— Moi, je me souviens très bien, lui dis-je. J'avais sept ou huit ans et ma marraine m'avait offert pour Noël ce que je désirais le plus au monde : une maison de poupées. Elle n'était pas particulièrement jolie, elle n'était pas en bois mais en métal, et la décoration des murs était peinte sur les surfaces. Il y avait de petits meubles que je déplaçais sans fin. J'avais confectionné des rideaux, des édredons avec des bouts de tissu. Et quand ma mère m'a persuadée, à quatorze ans, qu'il était plus que temps que je m'en départe, j'ai eu tellement de chagrin !

— Moi, déclara Henri, je me rappelle que je jouais avec des blocs. Je construisais non pas des maisons traditionnelles, mais des habitations futuristes et improbables, des espaces où il ferait bon habiter. On faisait déjà comme on fait maintenant qu'on est grands.

— L'enfance, ça n'explique pas tout, répliquai-je, tout en sirotant un petit blanc léger et en jetant un coup d'œil aux croquis d'Henri. Il y a bien des gens qui logent quelque part, sans plus. C'est pratique et confortable ; c'est propre et ça leur suffit.

— Nous, ça prend beaucoup de place dans nos vies. Peut-être du fait qu'on travaille de chez nous. Le plus gros de mon travail, tout comme le tien, se fait à domicile. C'est notre lieu de vie, mais également notre lieu de travail. Il faut qu'on y soit bien et heureux.

— Mais pourquoi vouloir toujours améliorer, peaufiner, transformer ? C'est déjà assez compliqué de seulement gérer ce qui est en place. Il y a toujours quelque chose qui cloche, qui demande temps et argent, et nous, en plus, on en rajoute.

— Tu n'aimes plus ta maison ? fit-il, tout à coup très attentif.

— Non. Ce n'est pas ça. Parfois, je trouve que c'est lourd. Le procès n'aide en rien, il faut dire.

— Maintenant que vous êtes deux, ça va peut-être s'alléger ?

— Je ne sais pas si on sera deux dans la maison jaune. Bernardo a déjà la campagne toscane. Il a l'intention d'y passer plus de temps. La terre qu'il possède à Pitigliano est suffisamment grande pour qu'il se bâtisse une maison à lui. Pour l'instant, il partage celle de son frère et de sa belle-sœur lorsqu'il va travailler en Italie pour son business.

— Celle qui ne t'aime pas beaucoup ?

— Celle-là même. Mais ma vie est ici, continuai-je. J'ai besoin de ma campagne à moi, de mes Cantons-de-l'Est ; d'un peu de la grande ville pour l'action, mais pas trop souvent. Et j'adore la Toscane. Joyeux dilemme !

Nous regardions le jour s'éteindre doucement. Tout était en suspens autour de nous. Paisible, harmonieux. Çà et là, quelques bourdonnements d'abeilles qui batifolaient encore un peu avant de rentrer au bercail, le chant des oiseaux qui prenaient leurs aises avant d'aller au nid, quelques grenouilles qui appelaient la nuit, et nous deux, vieux amis qui refaisaient, une fois de plus, le monde qui les entourait.

— Olivia, t'es-tu déjà retrouvée dans un rêve où tu découvres dans ta propre maison une pièce que tu n'avais jamais remarquée ? Comme si elle avait toujours été là et que tu ne t'en étais jamais occupée ? Ou même une pièce dans laquelle tu pénètres pour la première fois en ouvrant une porte fermée jusque-là ?

Je lui racontai quelques rêves de ce genre que j'avais faits. Une fois, j'avais même rêvé qu'un tunnel menait chez le voisin et que je trouvais une pièce immense que je n'avais jamais visitée, mais qui était bel et bien à moi.

— Je me sens tellement excité, m'avoua Henri, lorsque je fais ce genre de rêve et qu'on m'offre tout à coup une nouvelle pièce à aménager !

— Tu ne fais pas toujours ça dans ton travail ?

— Oui, mais quand c'est pour moi, c'est encore plus séduisant. Ça n'arrête donc jamais, la fascination des maisons, des nouvelles pièces à décorer !

— En effet, approuvai-je. Surtout en rêve, parce que tout est possible. Aucun problème de budget, aucune limite à l'imagination. Tu sais, j'ai lu un jour quelque chose là-dessus. Une psy affirmait que cette pièce inconnue qui surgit dans nos rêves correspond à une partie de nous qu'on ne connaît pas. Un espace en nous à découvrir. Un talent caché à développer. J'aime assez cette hypothèse.

— Est-ce que ça veut dire, dans les faits, se questionna à voix haute mon bel ami Henri, qu'on a besoin d'aménager plutôt notre âme que nos maisons ? Qu'on pourrait vivre finalement presque n'importe où, mais avec un intérieur personnel bien arrangé ?

Nous restâmes tous les deux sur la terrasse en compagnie des chats qui s'approchaient le temps d'une caresse et qui repartaient vers d'autres aventures, jusqu'à ce que la nuit nous entoure. Je pensais à la découverte de cet espace neuf en moi et prêt à être décoré. De quoi serait-il constitué ? Où se situerait-il ? Ici ? Dans la grande ville ? En Italie, avec Bernardo ?

Seule ou avec ma nouvelle famille élargie ? Enfin, les membres que ça intéresserait.

— Ma belle Olivia, laisse retomber la poussière, me suggéra Henri.

Et nos rires éclatèrent, une fois de plus, dans la nuit.

41

Nous étions dans une petite salle au revêtement de bois, sans aucune décoration. Rien de très solennel. Mais le stress se lisait dans les yeux de chacun. D'un côté, l'ancien propriétaire, qui semblait quand même heureux d'être là, sa femme, toujours aussi douce et intimidée, qui paraissait désolée pour tout ça, et leur avocat, un jeune homme sûr de lui. De l'autre côté, mon avocat, une tonne de dossiers, et moi, qui n'avais pas du tout envie d'être là, mais qui espérais en finir au plus vite. Et au milieu se trouvait le juge. Le matin, avant notre assignation dans cette salle, l'avocat m'avait donné son avis sur le juge qui présiderait le procès.

— Pas trop sévère, mais il suit la loi à la lettre. Ça n'est pas gagné.

« Encourageant », m'étais-je dit. Massimo, Bernardo, Henri et Lulu s'étaient déplacés un peu pour rien, puisque mon avocat avait déclaré d'entrée de jeu en début de séance qu'il ne voulait dans la salle que les personnes concernées directement par l'affaire. Il ne donna pas plus de précisions. Mes amis étaient donc repartis en me faisant promettre de les appeler aussitôt que tout serait terminé. Albert avait été convoqué pour la fin de l'après-midi.

— Courage, me dit Lulu.

— Tu touches à la fin, ajouta Bernardo. Quoi qu'il arrive, je suis là, me rassura-t-il. Tu veux que je reste dans le couloir à t'attendre ?

— Non, non, Bernardo, tu es gentil, mais on en a peut-être pour toute la journée.

— Tu vas les faire manger dans ta main, lança Massimo.

Mais dans ses yeux, il y avait le même doute que dans les miens. Il me fit une grimace pour me faire sourire. Je jouai le jeu.

Comme prévu, seules les personnes directement concernées, c'est-à-dire l'ancienne propriétaire et moi, la propriétaire actuelle, eurent le droit d'être présentes. Dans les faits, le véritable propriétaire était son mari. Mais comme ce dernier avait inscrit la propriété au nom de sa femme, c'est elle qui devait se trouver devant le juge. Le mari dut donc quitter la salle sur-le-champ, à son corps défendant, et resta dans le corridor à user le tapis de son impatience.

Les questions fusèrent de toutes parts, des précisions étaient demandées, les réponses différaient selon la place que nous occupions de chaque côté du siège du juge. Le plus difficile fut de supporter le regard triste de la partie adverse. Cette dame si gentille ne connaissait rien de la propriété. C'était, comme elle le disait si bien, son mari qui s'occupait de tout. La maison était à son nom, c'est tout. Dire que j'avais été fière, quelques années auparavant, du fait que la transaction s'était faite entre femmes, en présence d'une femme avocate.

Puis les spécialistes vinrent faire leur déposition. Plombier, entrepreneur, responsable de la municipalité. Mon avocat avait choisi quelqu'un du coin, qui s'y connaissait en aménagements urbains. Les choses étaient claires. Sur papier, j'avais bel et bien acheté une propriété dont les canalisations en eaux usées devaient être branchées aux égouts de la ville, et dans les faits il n'en était rien. La partie adverse avait préféré, pour sa part, amener à la barre une sommité en la matière. Et c'est à ce moment que je sentis que les choses pouvaient basculer en ma faveur. Le spécialiste en question, éminent professeur, énonça en termes savants la complexité de ce type d'installation sanitaire. Mon avocat, en contre-interrogatoire, réussit à lui faire dire que quelqu'un comme moi, qui avait toujours vécu en ville, qui n'exerçait aucun métier s'approchant de sa spécialité, ne pouvait en aucun cas comprendre quoi que ce soit à ce système, non apparent. Donc, il en vint à la conclusion qu'il s'agissait bien d'un vice caché et non d'un vice apparent, comme tentait de le prouver l'avocat de l'autre partie. Vint le tour du mari de l'ancienne propriétaire d'être à la barre. Il était nerveux puisqu'il n'avait rien entendu de ce que sa femme avait révélé. Il fut plutôt évasif dans ses réponses, jura, sous serment, n'avoir été au courant de rien et que tout s'était fait sans qu'il vérifie les installations.

Le juge parut sceptique ; il posa deux ou trois questions afin d'obtenir des précisions. Je ne savais plus quoi penser. À certains moments, je croyais tout perdu et, l'instant d'après, je me serais effondrée sur le banc, puis j'aurais pleuré toutes les larmes de mon corps tant j'étais fatiguée de ce cirque.

Heureusement, le juge déclara finalement que, dans cette affaire, il y avait bel et bien eu vice caché et qu'il allait procéder immédiatement à son jugement, contrairement à ce que mon avocat avait prédit dans les semaines précédentes. J'étais à la fois soulagée que ça se fasse immédiatement et morte de peur à l'idée de connaître les termes du jugement.

Le magistrat affirma qu'il ne fixerait pas le montant de la compensation, mais que nous le ferions nous-mêmes.

— Je vous donne une heure. Arrangez-vous pour vous entendre.

Il se leva prestement ; le greffier n'eut même pas le temps de faire son annonce habituelle – « Mesdames et messieurs, la cour » – qu'il avait déjà quitté la salle, ce que nous fîmes également. On nous installa dans deux petites salles différentes. Dans le couloir, j'avais eu le temps de croiser Albert, qui m'avait interrogée du regard pour connaître l'issue de la séance. Je n'avais pu lui donner aucun indice de la tournure des événements, mon avocat m'entraînant rapidement dans l'espace qui nous était alloué.

— Combien ? me demanda-t-il. Avec quel montant seriez-vous à l'aise, madame Lamoureux ?

— Le plus élevé possible, déclarai-je en riant presque de soulagement.

— Va falloir être raisonnable. Le juge n'est pas d'humeur. Trop bas, vous êtes perdante. Trop haut, la partie adverse va refuser. Dites un chiffre.

J'étais torturée. J'essayais, dans mon calcul mental, d'inclure les frais de l'avocat qui s'élevaient, grosso modo, à plus de quatorze mille dollars, alors que les travaux atteindraient, au bas mot, trente mille. Ça ne comprenait pas l'aménagement paysager après les installations, ni le bouleversement que ça causerait dans la maison, ni les maux de tête, ni la frousse et la fatigue et les angoisses que tout cela avait causés, ni... C'était sans fin et ça n'avait pas de prix.

Je dis un chiffre. L'avocat en proposa un autre. Je surenchéris. Il partit soumettre ce montant à l'avocat de l'ancienne propriétaire, pendant que j'attendais en me rongeant les ongles. Il revint quinze minutes plus tard avec un refus. J'eus la tentation, à ce moment, de tout laisser tomber. « Oubliez ça, je m'en vais chez moi. Je ne veux plus rien savoir de personne. J'aurai une maison non conforme aux lois, avec des installations sanitaires déficientes, mais je serai chez moi et j'aurai la sainte paix ! » La voix de Massimo s'immisça dans mon cerveau et ajouta cette petite phrase : « Tu auras la paix, mais tu seras dans la merde, ma chérie, dans la merde ! »

L'avocat me suggérait d'accepter à la baisse, mais je ne l'écoutais déjà plus. Je ne fis ni une ni deux. Je jouai le tout pour le tout. Je restai sur mes positions.

— C'est à prendre ou à laisser, dis-je. Et ils s'en sortent honorablement. Ça ne couvrira même pas toutes les dépenses. Je suis très loin du compte.

L'avocat repartit et revint avec un document accepté et dûment signé. Je n'arrivais pas à me sentir soulagée. J'étais à bout de nerfs, fatiguée, usée par cette histoire. Je n'avais pas tout gagné, mais je n'avais pas tout perdu non plus. J'étais simplement incapable de me réjouir. Et dire qu'à la suite de ça l'ancien propriétaire est venu me serrer la main comme si de rien n'était ; on venait de jouer un bon match et il me félicitait d'avoir gagné. Des semaines et des semaines d'inquiétude pour finir par cette poignée de main qu'on aurait pu se donner au début en concluant à l'amiable. Mon avocat, ravi qu'on ait gagné, me murmura juste avant de partir vers un autre client qu'il m'enverrait sa dernière facture sous peu.

Il me restait quand même une grande décision à prendre. Et j'allai téléphoner à mes amis et à mon fils pour leur apprendre la nouvelle.

42

Ils arrivèrent à tour de rôle, en plein après-midi, les bras chargés de cadeaux, de bouteilles de vin. J'avais commandé un méchoui pour l'occasion. Et pour les desserts, j'avais fait appel aux pâtissiers de Crème et Myrtille, qui font des bouchées sucrées et des gâteaux dont mes amis raffolent. Un éleveur d'agneau de la région avait installé son immense gril dans le stationnement et surveillait la bête, qui rôtissait lentement sur la broche. De temps en temps, il arrosait l'agneau d'un mélange qu'il gardait secret, à base d'huile, d'ail et d'herbes. Pour éviter qu'il meure de chaleur sur place, je remplissais son pichet de limonade fraîche à mesure que le besoin se faisait sentir.

Ils vinrent tous. Les habitués et les tout nouveaux arrivants dans ma vie. Et cette réunion de mes proches était un somptueux cadeau de Bernardo. Après de longues discussions, j'avais abdiqué et accepté ce présent royal qui permettrait à tout un chacun de se rencontrer. Thomas rejoignit Henri, qui séjournait déjà à la maison. Ce dernier, puisqu'il ne pouvait pas faire d'efforts superflus, m'avait aidée, sur papier, à décorer la terrasse. Il m'avait donné quelques esquisses, signées de sa blanche main, que j'avais précieusement rangées dans mes papiers importants. Qui sait, si un jour Henri devenait célèbre, je pourrais toujours m'enorgueillir d'avoir ses dessins. J'avais suivi ses instructions à la lettre. Je n'avais pas oublié les merveilles d'ingéniosité dont il avait fait preuve au mariage d'Allison et de Jules. Des petites lanternes électriques, qu'on allumerait au moment voulu, avaient été suspendues tout autour de la tonnelle, et d'immenses fanaux, des flambeaux et de petits lumignons étaient éparpillés un peu partout sur la propriété. Toujours à la suggestion d'Henri, j'avais disposé sur la terrasse de grosses cuves aux couleurs éclatantes qui servaient normalement lors du désherbage mais qui faisaient ici office de seaux à glace pour le vin blanc, la bière et le champagne. Une nappe parsemée de motifs de cerises s'étalait sur la grande table. Il avait fallu en ajouter une autre, prêtée par Allison. En plus des couverts pour treize adultes et deux enfants – ma famille s'était sérieusement agrandie dans les dernières semaines –, j'avais déposé quelques bougeoirs et de grands bouquets de fleurs du jardin. Le temps était magnifique, et la fête pour réunir tout mon petit monde, pour présenter mon nouvel amoureux et ses enfants, ainsi que pour souligner le succès du procès, s'annonçait fabuleuse. Vincent et Marie, avec la petite Raphaëlle, étaient arrivés la veille pour me seconder. Lulu avait fait route avec Massimo, et Bernardo était arrivé tôt pour accueillir les siens. Graziella et son mari avaient accepté mon invitation sans attendre, tandis que Tonino s'était un peu fait tirer l'oreille mais avait fini par consentir à nous honorer de sa présence. J'espérais juste que Bernardo ne lui avait pas trop forcé la main. Mes amis du village, Albert, François et le petit Miro, ainsi qu'Allison et Jules, se présentèrent les derniers. Heureusement que plusieurs d'entre eux connaissaient la maison. Ils m'aidèrent pour le service, répondirent aux demandes de chacun, et surtout à celles des nouveaux venus. Vincent et Marie sympathisèrent avec Graziella et son mari. Ils se tenaient autour de la piscine. Miro tournait autour de Raphaëlle, installée dans sa petite chaise, et lui faisait des bisous, le tout sous la surveillance attentive d'Albert et de François. Après chaque baiser donné, la petite s'essuyait systématiquement la joue ou la bouche du revers de sa petite main, ce qui ne décourageait pas Miro. En observant le manège des enfants, Massimo avait fait rire tout le monde avec sa réplique toute particulière :

— Bon ! Un autre mariage en vue. Heureusement, j'ai le temps de faire le bord de ma robe de dame d'honneur !

Tous étaient heureux de voir la mine réjouie d'Henri, qui allait mieux jour après jour. Et Lulu attirait les regards avec un je ne sais quoi de mystérieux. Il émanait d'elle un calme que je ne lui connaissais pas, quelque chose de lumineux qui m'intriguait. Quant à Bernardo, il était partout, agissant à la fois à titre d'hôte discret, de papi gâteau pour les petits et d'amoureux transi pour moi. À tout instant, il venait vers moi avec un verre de vin, une bouchée à grignoter ou un baiser, ce que j'appréciais le plus.

Tonino, pour sa part, était resté à l'écart pendant tout le début de l'après-midi. Mon fils l'avait entraîné pour lui montrer ses réalisations dans le jardin. Au retour de la balade, il semblait bouder un peu moins. Vincent et Marie, à qui j'avais parlé des réticences du fils de Bernardo, m'avaient promis de se charger de lui et de lui montrer quels amis fantastiques j'avais, et surtout quelle sorte de femme formidable j'étais. Ils avaient dit vrai. Mission accomplie, pour le moment.

Tout mon petit monde respirait le bonheur. Les esprits s'adoucissaient au fur et à mesure que les bouteilles se vidaient. Juste avant de passer à table, nous couchâmes les petits pour une minisieste d'avant repas. On avait installé leurs lits côte à côte dans le salon et entrouvert les fenêtres qui donnaient sur la terrasse. De toute façon, les deux émetteurs prêts à nous avertir s'il y avait quelque chose qui clochait trônaient bien en évidence sur la table. Vincent et Marie ainsi que François et Albert avaient chacun le leur à portée d'oreille. Le maître rôtisseur nous apporta l'agneau finement tranché, les légumes d'accompagnement et de la semoule ou des pommes de terre au choix. Viande très cuite, rosée, semi-rosée ? Vin blanc, bière ou vin rouge ? Les assiettes et les coupes passaient au-dessus de nos têtes pour se rendre aux intéressés. Il y eut quelques accidents, taches de vin ou de jus de viande sur la nappe, des excuses et beaucoup de rires.

Je m'arrêtai un instant pour observer les êtres chers qui m'entouraient. Puis je croisai, tour à tour, le regard de Massimo et celui de Bernardo. Je compris à cet instant qu'ils lisaient dans mes pensées : je l'avais enfin, ma famille italienne. Tout le monde qui parlait en même temps, de la bonne chère, du vin en quantité, des repas de fête, des rires, des discussions sans fin, quelques voix qui s'élevaient avec plus de passion que d'autres, des douceurs et du bonheur. C'était donc ça. J'y étais finalement arrivée.

On mangea jusqu'à plus faim, on but jusqu'à plus soif. Et au dessert, l'annonce des nouvelles commença. Albert ouvrit le bal. Il prenait une retraite anticipée, retournait en Chine pour parfaire une formation en mandarin et en études internationales.

Il surprit tout le monde. On se tourna tous vers François pour voir sa réaction. Comme toujours, le grand garçon doux aux mains si fines restait calme et semblait déjà avoir assumé la décision de son chum.

— Ce n'est que pour un temps, nous informa François. Après, Albert reviendra pour venir en aide aux parents qui veulent adopter en Chine ou ailleurs.

Cette nouvelle fut accueillie par une salve d'applaudissements. Massimo se leva à son tour et nous déclara qu'il avait, lui aussi, une annonce à faire.

— Tu te maries ? cria quelqu'un.

— Même pas dans tes rêves, mon cœur. Non, je quitte Montréal ; j'ai été accepté dans l'atelier d'un grand perruquier à Londres pour un stage de quelques mois, et par la suite je pars m'installer définitivement en Italie. Finis les tournages exténuants, finies les productions à petit budget. Comme Zaza dans *La Cage aux folles*, je vais m'établir dans mon village et je m'habille en noir des pieds à la tête.

Et pour illustrer son propos, il se servit de sa serviette de table comme d'un petit foulard qu'il plaça sur sa tête et attacha sous son menton. Il nous mima la scène hilarante du film où le personnage qui veut étaler du beurre sur une petite biscotte la fait systématiquement éclater en mille miettes dans ses mains. Ce fut l'hilarité générale. Et les applaudissements fusèrent une fois de plus.

— Qui dit mieux ? demanda Vincent à la tablée, qui n'en finissait plus de rire.

— Je suis enceinte, déclara d'une petite voix timide Graziella.

— Quoi ? s'écria Bernardo, les yeux pleins d'eau, puis s'adressant à sa fille et à son gendre : Vous êtes enceinte ? Euh… Tu es enceinte ? Enfin, vous me comprenez.

Au moment où Bernardo se levait pour aller embrasser sa fille, Vincent arrêta son geste pour garder l'attention sur lui et sur Marie, et il nous apprit que lui aussi était enceinte.

— Ah ! Ça va, Vincent. Très drôle, dis-je à mon fils.

— Non, c'est vrai. Je suis enceinte, moi aussi, confirma Marie, qui entourait les épaules de son chum.

— Quoi ? m'exclamai-je à mon tour.

À cet instant précis, les deux petits dans leurs couchettes se manifestèrent dans le moniteur vocal. Tout le monde était debout, embrassait et félicitait les nouveaux parents et les nouveaux grands-parents. Bernardo pleurait à chaudes larmes. J'étais à peu près dans le même état, moi-même. Je serrais Marie et Vincent si fort qu'ils protestaient, heureux que la nouvelle me fasse si plaisir. Le futur tonton Tonino semblait ému par l'annonce de sa sœur, mais il restait de glace avec moi.

Massimo, fidèle à lui-même, demanda à l'assemblée enfin calmée s'il n'y avait pas une nouvelle encore plus folle que les précédentes.

— Un mariage ? Non ? Il n'y a personne qui se marie ?

Toutes les têtes se tournèrent vers Bernardo et moi. Nous nous sentions un peu intimidés. Je regardai mon amoureux et lui fis signe qu'il pouvait répondre pour nous deux.

Tonino se leva d'un bond.

— Ah ! Non ! Tu ne nous feras pas ça, s'indigna-t-il en regardant son père.

Cette réplique jeta un froid sur mes amis, quelque peu étonnés de l'objection véhémente. Bernardo tenta de prendre la parole.

— Pour le moment, Olivia et moi, nous sommes très heureux comme ça…

Tonino le coupa violemment.

— Papa, tu n'as pas le droit.

— Oh que si, j'ai ce droit, fiston. C'est de ma vie qu'il s'agit, pas de la tienne. *Basta !*

Et il poursuivit le reste de sa phrase en italien. Je n'avais jamais vu mon amoureux si déterminé. Le coup dut porter puisque Tonino se rassit aussitôt sans rien ajouter.

— Je disais donc, reprit Bernardo, calmé, que pour l'instant la situation nous convient tout à fait. Je ne dis pas qu'un jour Olivia et moi ne pourrions songer sérieusement à convoler en justes noces…

Henri et Thomas s'étaient précipités sur les bouteilles de champagne et les bouchons sautaient déjà.

— Mais pour le moment, enchaîna-t-il, puisque nous avons chacun nos familles, qui vont bientôt compter de nouveaux membres, on se laisse le temps de se connaître mieux et de s'habituer à la nouvelle situation.

Il regarda son fils avec beaucoup de tendresse. Ce dernier comprit le message.

Tous les invités se mirent à protester unanimement. Il n'y aurait pas de mariage ! Un grand soupir de regret fit le tour de la table. Je fus surprise de voir Tonino afficher un air déçu. On avait donc eu raison d'agir de la sorte. La non-demande en mariage de Bernardo ne m'empêchait pas de l'aimer et de me sentir aimée en retour.

— On a toute la vie pour le faire, ce mariage à l'italienne dont j'ai toujours rêvé ! dis-je à l'assemblée. J'ai déjà l'homme et la famille italienne, c'est un bon début, non ?

Des rires, des blagues et du champagne une fois de plus.

Par la suite, on apprit les dates prévues des accouchements, qui auraient lieu à quelques semaines d'intervalle au printemps suivant. On trinqua encore et les applaudissements reprirent en force.

Allison se leva pour signaler qu'elle voulait annoncer quelque chose, elle aussi.

— Ma femme est enceinte, ajouta Jules d'une voix avinée. Enceinte d'un nouveau roman !

Applaudissements à tout rompre.

Allison reprit la parole, précisant qu'en effet son bébé paraîtrait lui aussi au printemps et qu'elle espérait que nous serions nombreux à l'adopter. À part ça, elle n'avait rien à ajouter, sauf qu'elle filait le parfait amour avec son Jules, que leur mariage tenait la route et que, contre tout espoir, les travaux de leur maison seraient terminés pour Noël. Nous étions tous invités à pendre la crémaillère.

Des cris de joie, des hurlements fendirent la nuit, au grand désespoir des parents, qui demandèrent qu'on la mette en veilleuse à cause des petits. Les rires reprirent.

Henri fit un bref tour de table en rappelant les dernières nouvelles de chacun.

— Une non-demande en mariage pour Bernardo et Olivia, deux naissances au printemps pour Marie et Graziella, une pendaison de crémaillère pour l'hiver chez Jules et Allison, un stage à Londres pour Massimo et un autre en Chine pour Albert.

Il s'arrêta à Lulu, qui n'avait rien annoncé mais qui semblait pas mal au-dessus de ses affaires.

— Alors, Lulu ? Rien de nouveau à déclarer ?

Lulu rougit d'un coup, termina sa gorgée de champagne et se leva pour nous confier qu'elle avait enfin rencontré quelqu'un d'exceptionnel sur Internet.

Seuls ceux qui n'étaient pas au courant de sa dernière aventure applaudirent. Tous les autres restèrent sans voix en la fixant.

— Après de longues recherches, des candidats qui ne valaient pas la peine, des déceptions et des gros quétaines, je suis tombée sur la personne idéale, le mec plus ultra, le seul homme avec qui je pouvais avoir des affinités, et nous vivons une grande passion.

Personne n'osait parler. Le malaise se répandait en chacun de nous, jusqu'à ce que Lulu, tournant la tête vers le stationnement, affirme qu'il était temps pour elle de nous présenter le fameux « Tuxedo ».

Les chaises s'écartèrent, les gens se levèrent pour savoir de qui il s'agissait. Lorsqu'on vit Armand, le chum de Lulu, s'avancer sur la terrasse, cette dernière nous déclara que l'homme idéal, le fameux Tuxedo virtuel, s'appelait en réalité Armand. Qu'il avait déjà une blonde, prénommée Lulu, une agente de voyages ; et que, comme ils s'étaient perdus de vue depuis belle lurette, l'Armand en question avait répondu à sa petite annonce en se faisant passer pour Tuxedo. Qu'ils s'étaient beaucoup écrit et qu'ils se courtisaient à nouveau comme aux premiers jours.

— Hein ? L'autre fille s'appelle Lulu et elle est agente de voyages, comme toi ? s'écria Thomas, tombant des nues. Puis lui, il s'appelle Armand, comme ton chum ?

Tout le monde avait déjà compris, sauf Thomas, bien entendu, que Lulu s'était fait piéger par son propre chum, qui avait tout mis en œuvre pour la récupérer en utilisant le service de rencontres qu'elle fréquentait depuis quelque temps, parce qu'il la négligeait.

Je n'avouai à personne que j'avais contacté Armand et l'avais averti de faire gaffe, que s'il ne s'intéressait plus à sa blonde il la perdrait. Mon message avait bien passé. Je fis un clin d'œil à Lulu pour lui signifier à quel point j'étais ravie pour elle.

La soirée se poursuivit toujours aussi joyeusement. Je me retirai, un instant, pour contempler le ciel étoilé. Je m'étais appuyée contre le gros érable que j'aimais tant, malgré ses crevasses et ses repaires d'écureuils. Je songeai que je devrais m'en séparer un jour. Il se faisait vieux et devenait dangereux pour tout ce qui se trouvait dans les environs. Massimo vint me rejoindre, tandis que j'entendais tout près les autres qui chantaient de vieilles ritournelles italiennes. C'est Tonino qui agissait à titre de chef de chorale. « De mieux en mieux », pensai-je. Il avait même enfilé à son cou une des cravates que je venais de lui offrir pour compenser la perte de sa fameuse cravate italienne. Une autre faisait office de bandana sur son front. La chorale improvisée avait imité son geste en fouillant dans la boîte cadeau. J'avais déniché dans des friperies pas moins d'une douzaine de cravates toutes plus jolies ou rigolotes les unes que les autres, cravates d'un autre âge et qui n'avaient jamais été utilisées. Il semblait que mon présent plaisait.

— Alors ? Contente, *bella* ? demanda mon ami. Une autre belle fête réussie à la maison jaune.

Puis, il m'embrassa tendrement dans les cheveux.

J'acquiesçai avant de lui faire cette confidence, à voix basse :

— Massimo, il faut que tu saches. À partir de demain, je mets la maison en vente.

— QUOI ?! TU VENDS LA MAISON ?

Les chansons cessèrent d'un coup. Maintenant, à cause de Massimo, tout le monde savait.

Épilogue

C'est souvent dans des moments comme ceux-là qu'on reconnaît ses vrais amis. Après le cri de panique de Massimo, la fête prit une drôle de tournure, ce soir-là. Jusqu'à cet instant, Bernardo seulement était au courant de mon projet de vendre la maison. Il m'avait réitéré son offre de m'aider financièrement. Mais il avait fini par comprendre, à force de persuasion, que c'était la seule chose à faire s'il ne voulait pas me perdre. Cette maison était devenue une charge trop lourde pour moi, même si mon amoureux faisait partie intégrante de ma vie. Et le peu que j'avais mis de côté pour d'éventuels pépins s'était envolé d'un coup après que j'eus payé les honoraires de l'avocat d'abord, puis les travaux d'installation de la nouvelle fosse septique. Il ne restait plus rien pour terminer ce qui était nécessaire au maintien de la propriété.

Mes amis, ce soir-là, avaient essayé de trouver des solutions pour me venir en aide. Personne ne voulait que la maison jaune disparaisse de leur vie. Et, aux dires de chacun, elle ne pouvait être la propriété de personne d'autre. Elle appartenait à Olivia Lamoureux et à ses amis, un point c'est tout. J'avais beau protester, leur dire que cette situation m'allait tout à fait, rien n'y faisait. Le vin aidant, chacun y allait de ses suggestions pour sauver la maison. On parla de se cotiser pour recueillir une somme importante. Quelqu'un, je crois que c'était Tonino, proposa de faire un spectacle-bénéfice pour amasser des fonds de soutien pour la maison jaune. Il fut aussi question de troc, d'échange, de partage.

Je dus rassurer mes amis, leur rappeler que cette propriété avait été un rêve fantastique pour moi. J'y avais été heureuse, j'avais vécu des moments incroyables, des aventures rocambolesques ; maintenant, il me fallait passer à autre chose. Bouboulina restait pour veiller sur le jardin. Sa petite tombe était bien identifiée. Nous avions tous le souvenir de fêtes fabuleuses, de fous rires mémorables, d'expériences qui dépassaient l'imagination.

Les esprits enfin calmés, nous terminâmes la soirée sur une suite de réminiscences qui commençaient toutes par : « Te souviens-tu de la fois où… »

La fois où on a trouvé du riz entre les murs, la fois où on ne savait plus où étaient les ronds de poêle. Et puis, la fois où Olivia a fait une vraie folle d'elle en faisant brancher sa sécheuse au gaz par un électricien. La fois où Marie a perdu ses eaux en plein mariage. Chacun apportait son souvenir et le plaçait sur la table comme un cadeau précieux, à ne pas oublier. Et la soirée s'éternisait parce qu'il fallait également raconter l'anecdote complète à ceux qui n'étaient pas présents à l'époque.

— Te rappelles-tu, se remémora Albert, quand tu as été obligée de brandir ton chéquier au-dessus de ta tête pour attirer l'attention de tes ouvriers, qui ne voulaient s'adresser qu'à l'homme de la maison ? Pour te faire entendre, tu leur avais dit qu'ils n'auraient pas d'autre choix que de tenir compte de toi, puisque c'était *toi* qui signais les chèques ! Ah pis, quand tu es arrivée avec le camion de déménagement et que les planchers n'étaient pas secs, qu'il a fallu tout remballer…

— Monsieur Piscine ! se souvint tout à coup Allison. Qui avait transformé ton jardin en bac à sable lors de la réfection de la piscine !

— Les plombiers et les électriciens qui ne se déplaçaient pas durant la période de la chasse, ajouta pour sa part François.

— Harris, Richard, pis l'autre… comment il s'appelait déjà ?… T'sais, le gars qui…

Tous mes copains se tournèrent vers Vincent pour qu'il la mette en veilleuse, lui signifiant la présence de Bernardo. Fort heureusement, mon fils comprit assez vite l'allusion et changea de sujet.

— Les tommettes qui ne sont jamais arrivées !

Lulu parla des nombreux écureuils et tamias qui avaient pris cette maison comme refuge. Quelqu'un d'autre fit allusion aux dégâts d'eau à répétition. On mentionna la mort de Bouboulina, l'arrivée de Maxou et de Rosie. Le mélange entre les motards et les amis gais au mariage d'Allison. La « minipause » d'Olivia en plein été, l'arrivée de Bernardo, et ainsi de suite jusqu'à ce que les souvenirs pénibles fassent place aux plus drôles et que la joie revienne. Franchement, la maison jaune avait été une maison formidable !

Elle fut mise en vente le jour où les travaux de réfection de la fosse septique furent terminés. On était en automne. Vincent avait accompli un travail extraordinaire pour tout remettre en place et planter ce qui avait été déraciné. Les amis vinrent faire un grand ménage en vue des visites d'acheteurs. Et les avis contradictoires fusaient de toutes parts. « Ça, tu devrais le garder. » « Oh ! Non, elle ne va pas conserver cette cochonnerie-là ! » « As-tu vraiment besoin de cette horreur ? » Marie-Josée, une amie designer, avait prêté main-forte à Henri pour faire un peu de *home staging*, histoire de rendre la maison encore plus attrayante. Lulu et Allison viendraient donner un coup de main lorsqu'il serait question du déménagement. Mais je ne savais même pas où je m'en irais. Massimo avait proposé de me louer son studio, offre que j'avais acceptée avec empressement. Je pourrais y emménager avec Bernardo lorsqu'il serait à Montréal. Ce dernier, pour sa part, laissait son appartement à son fils, qui en fut plus heureux qu'on ne l'aurait cru. Il invita deux camarades de sa faculté à devenir ses colocataires. Tout rentrait dans l'ordre de ce côté. Le fils trouvait enfin sa place et m'en cédait un peu pour que je la partage avec son père.

En attendant que la maison soit vendue, je continuais à me promener dans les rues de mon village. Je ne pouvais pas croire que j'allais quitter ce lieu que j'aimais tant. Puis un jour, je restai figée devant une demeure qui m'avait attirée lorsque j'avais décidé de m'installer dans la région. À cette époque, elle n'était pas à vendre. Mais j'avais montré cette petite maison en bardeaux de cèdre, sorte de gîte pour Hansel et Gretel, à l'agent immobilier qui me demandait ce que je cherchais comme propriété. Il connaissait bien les propriétaires et m'avait assurée qu'elle n'était pas à vendre. Puis, quelques années plus tard, lors d'une de mes promenades, j'avais vu la pancarte devant la porte. Mais je n'avais même pas pu la visiter : elle s'était vendue en deux jours. Décidément, cette maison n'était pas pour moi. Et voilà qu'aujourd'hui une nouvelle affiche annonçait sa vente. J'appelai aussitôt l'agence immobilière et pris rendez-vous pour le lendemain. Je donnai un coup de fil à Albert ainsi qu'à Henri pour qu'ils viennent visiter la maison avec moi. On se dit qu'on n'avait rien à perdre et que, de toute façon, même si l'extérieur nous plaisait énormément, on serait sûrement déçus par l'intérieur.

Le lendemain, nous tombâmes en pâmoison devant cette maison. Parfaite, de bonnes dimensions, beaucoup moins de terrain, pas de toiture ni de pièces à refaire. Pas de fenêtres à changer. La maison idéale, quoi !

La mienne avait bien eu quelques visiteurs à ce moment-là. Des familles, des gens qui venaient juste pour voir à quoi ça ressemblait, d'autres qui voulaient négocier le prix dès la porte franchie. D'autres encore qui s'extasiaient mais qui ne faisaient aucune offre. Et puis, il y avait ceux qu'on n'aurait absolument pas voulu avoir comme acheteurs. Ils prévoyaient de tout démolir, de mettre de l'asphalte, de couper les arbres. Alors que j'étais sur le point de me décourager, Lulu vint à ma rescousse en me disant de me procurer un saint Joseph pour aider à la vente.

— Un quoi ? demandai-je, sceptique.

— Une statue de saint Joseph. Elle n'a pas besoin d'être grosse. Il suffit que tu l'installes dans ton jardin ou dans un pot de fleurs sur ton balcon, et ça marche.

Pour lui faire plaisir, je partis en quête d'un saint Joseph. Au premier magasin, ils étaient en rupture de stock. Comme me l'expliqua le jeune vicaire qui vendait les objets de culte, saint Joseph est très populaire pour vendre une maison.

— Il était charpentier, vous savez, c'est pour cela qu'il est le saint patron des maisons.

J'eus plus de chance au magasin attenant à la basilique du Vieux-Montréal. Ils en avaient de toutes les tailles. Je choisis une toute petite statue. La vendeuse me précisa qu'il fallait la mettre la tête à l'envers.

— Pourquoi ? C'est étrange, non ? répliquai-je.

— Je ne sais pas, au juste. C'est comme ça et ça marche. Ma belle-sœur…

Et j'eus droit à la kyrielle de récits de miracles exaucés grâce à cette petite statue.

La statuette de saint Joseph trouva sa place dans le jardin de la maison jaune, laquelle fut finalement achetée par un couple de designers, des gens gentils comme tout, disposant des sommes qu'il fallait pour exécuter les travaux qui restaient, attentionnés, amoureux de la nature et des animaux, et gais.

Comme le dit Massimo, ça ne pouvait pas être autrement. C'est eux que ça prenait pour faire l'acquisition de la maison jaune.

Et puis…

Oui, j'achetai la maison en bardeaux. Et, oui, je m'embarquai à nouveau dans l'aventure, malgré les protestations et les nombreux conseils de mes amis.

— Mais dans quelque chose de plus petit, de moins compliqué, de plus pratique, leur expliquai-je pour me justifier. Il n'y a rien à faire dans celle-ci. Enfin, presque rien.

Et puis, chaque fois que je pénétrais dans cette maison, j'avais la sensation que de grands bras réconfortants m'accueillaient. J'étais bien, j'étais chez moi. Et ce sentiment ne s'est pas atténué depuis que j'y habite. Alors, au lieu de n'avoir qu'une grosse propriété, je me retrouvais avec cette petite, qui ne demanderait presque rien, à part un peu de peinture, l'aménagement du gazebo, les planchers à peindre éventuellement, une salle de bain à moderniser, des bricoles, quoi ! Je pourrais jouir du studio de Massimo à Montréal et de la future maison que Bernardo se construirait à Pitigliano un jour.

Ce que je ferai de ma vie, maintenant que j'ai du temps ?

Peut-être écrire les aventures de la maison jaune, avec Olivia, Bouboulina, Massimo, Henri et Thomas, François, Albert et Miro, Lulu et Armand, Allison et Jules, Vincent, Marie et Raphaëlle, Maxou et Rosie, les futurs bébés, et maintenant avec les nouveaux arrivants, Bernardo, Graziella, son mari, son frère Tonino. Et le beau-frère et la belle-sœur en Italie, et aussi monsieur Piscine, l'électricien, la notaire, les ouvriers, l'avocat, l'entrepreneur macho…

Les histoires de maison, c'est comme les histoires d'amour, ce sont toujours des histoires sans fin.

REMERCIEMENTS

Cette trilogie qui n'en était pas une au départ a été rendue possible grâce à l'accompagnement, au soutien constant et aux encouragements de mon éditeur, André Bastien, ainsi qu'à la curiosité insistante des lectrices et des lecteurs qui voulaient savoir, après chaque tome, ce qu'il adviendrait de la maison jaune et de ses habitants.

Un merci tout spécial à Marie-Claude Goodwin et à Pauline Jubinville, de l'association Formons une famille, pour leurs informations sur l'adoption en Chine.

Merci une fois de plus à Marisa Ruccolo, qui m'a accompagnée dans les dialogues italiens.

Merci également à Émile et Nicole Martel, qui m'ont généreusement confié le prénom de leur petit-fils, Théo, lors d'une campagne de financement des Correspondances d'Eastman, édition 2010 ; l'enjeu de ce don m'a permis d'utiliser ce nom pour un personnage dans mon roman.

Et pour la toute dernière fois, merci à mes amis André, Jean-Jacques, Louise, Johanne, Michel et Mario, ainsi qu'Étienne, d'avoir accepté que j'invente de nouvelles aventures pour les personnages qu'ils m'ont inspirés.

Un merci tout particulier à M., qui me fait dire chaque jour : *Perduto è tutto il tempo che in amor non si spende!* « Le temps passé sans amour est du temps perdu ! » (Torquato Tasso)

Cet ouvrage a été composé en Adobe Caslon Pro corps 12/14,4
et achevé d'imprimer en septembre 2011 sur
les presses de Marquis Imprimeur, Québec, Canada.

Imprimé sur du papier 100 % postconsommation,
traité sans chlore, accrédité Éco-Logo et fait à partir de biogaz.

certifié

procédé sans chlore

100 % post-consommation

archives permanentes

énergie biogaz